中国工程建设协会标准

特殊钢管混凝土构件设计规程

Design specification for specified concrete filled steel tubular members

CECS 408：2015

主编单位：哈尔滨工业大学深圳研究生院
中国建筑第五工程局有限公司
批准单位：中 国 工 程 建 设 标 准 化 协 会
施行日期：2 0 1 5 年 1 2 月 1 日

中国计划出版社

2015 北 京

中国工程建设协会标准

特殊钢管混凝土构件设计规程

CECS 408：2015

☆

中国计划出版社出版

网址：www.jhpress.com

地址：北京市西城区木樨地北里甲 11 号国宏大厦 C 座 3 层

邮政编码：100038　电话：(010)63906433(发行部)

新华书店北京发行所发行

廊坊市海涛印刷有限公司印刷

850mm×1168mm　1/32　5.875 印张　149 千字

2015 年 11 月第 1 版　2015 年 11 月第 1 次印刷

印数 1—3080 册

☆

统一书号：1580242·823

定价：58.00 元

中国工程建设标准化协会公告

第 210 号

关于发布《特殊钢管混凝土构件设计规程》的公告

根据中国工程建设标准化协会《关于印发〈2012 年第二批工程建设协会标准制订、修订计划〉的通知》（建标协字〔2012〕127 号）的要求，由哈尔滨工业大学深圳研究生院和中国建筑第五工程局有限公司等单位编制的《特殊钢管混凝土构件设计规程》，经本协会轻型钢结构委员会组织审查，现批准发布，编号为 CECS 408：2015，自 2015 年 12 月 1 日起施行。

中国工程建设标准化协会

二〇一五年七月十五日

前　言

根据中国工程建设标准化协会《关于印发〈2012 年第二批工程建设协会标准制订、修订计划〉的通知》(建标协字〔2012〕127 号)的要求,制定本规程。

本规程共分 7 章和 3 个附录,主要技术内容包括:总则、术语和符号、材料、基本规定、截面强度设计值、承载力设计和防火设计等。

本规程由中国工程建设标准化协会轻型钢结构专业委员会归口管理(CECS/TC28),由哈尔滨工业大学深圳研究生院(深圳市南山区西丽大学城哈工大深圳研究生院 E407,邮政编码:518055)负责解释。在使用过程中如发现需修改或补充之处,请将意见和资料径寄解释单位。

主 编 单 位: 哈尔滨工业大学深圳研究生院
中国建筑第五工程局有限公司

参 编 单 位: 深圳市市政设计研究院有限公司
悉地国际设计顾问有限公司
武汉大学

主要起草人: 查晓雄　钟善桐　王玉银　王成武　万城勇
陈宜言　傅学怡　张湘林　尧国皇　余　敏
王晓璐　郭　明　王洪欣　王晓冬　赵　祺

主要审查人: 周绪红　杜宏彪　陈宝春　肖从真　吴　波
薛伟辰　徐厚军

目　　次

Contents

1 总 则

1.0.1 为了在工程结构中推广应用特殊钢管混凝土构件，贯彻执行国家的技术经济政策，做到安全、适用、经济、节能、环保，制定本规程。

1.0.2 本规程适用于采用特殊钢管混凝土构件的工业与民用建筑和一般构筑物的设计。

1.0.3 特殊钢管混凝土构件的设计除应符合本规程外，尚应符合国家现行有关标准的规定。

2 术语和符号

2.1 术 语

2.1.1 特殊钢管混凝土构件 specified concrete filled steel tubular members (Specified CFST)

由特殊外管材料或特殊内部填充材料组合而成钢管混凝土构件的统称。本规程包括内填素混凝土的特殊钢管混凝土构件和内配加劲件的钢管混凝土构件两种。

2.1.2 高强钢钢管混凝土构件 concrete filled highstrength steel tubular members

外管采用高强钢管的钢管混凝土构件。

2.1.3 不锈钢钢管混凝土构件 concrete filled stainless steel tubular members

外管采用不锈钢管的钢管混凝土构件。

2.1.4 耐候钢钢管混凝土构件 concrete filled atmospheric corrosion resisting steel tubular members

外管采用耐候钢管的钢管混凝土构件。

2.1.5 纤维增强复合塑料 fiber reinforced plastics (FRP)

由纤维材料与基体材料按一定的比例混合,经过特别的模具挤压、拉拔而形成的高性能型材料。简称 FRP。

2.1.6 FRP 约束钢管混凝土构件 concrete filled steel tubular members wrapped by FRP

外缠 FRP 的钢管混凝土构件。

2.1.7 钢管高强混凝土构件 highstrength concrete filled steel tubular members

采用高强混凝土的钢管混凝土构件。

2.1.8 钢管轻质混凝土构件 lightweight concrete filled steel tubular members

采用轻质混凝土(含珊瑚混凝土)的钢管混凝土构件。

2.1.9 钢管海砂混凝土构件 sea sand concrete filled steel tubular members

采用海砂混凝土的钢管混凝土构件。

2.1.10 钢管再生资源混凝土构件 recycled resource concrete filled steel tubular members

采用再生资源骨料混凝土的钢管混凝土构件。

2.1.11 内配加劲件的钢管混凝土构件 reinforced concrete filled steel tubular members

混凝土中内配加劲件的钢管混凝土构件。包括内配约束型加劲件的钢管混凝土构件和内配非约束型加劲件的钢管混凝土构件。内配约束型加劲件包括内配螺旋箍筋和内配钢管;内配非约束型加劲件包括内配纵向钢筋、普通方形箍筋和开口型钢。

2.1.12 内配螺旋箍筋的钢管混凝土构件 spiral stirrup reinforced concrete filled steel tubular members

钢管内配多层螺旋箍筋和纵向钢筋所形成的钢管混凝土构件。

2.1.13 内配钢管的钢管混凝土构件 concrete filled steel multi tubular members

钢管内配多层钢管所形成的钢管混凝土构件。

2.1.14 内配方形箍筋的钢管混凝土构件 square stirrup reinforced concrete filled steel tubular members

钢管内配多层方形箍筋钢筋混凝土所形成的钢管混凝土构件。

2.1.15 内配开口型钢的钢管混凝土构件 opening steel reinforced concrete filled steel tubular members

钢管内配开口型钢混凝土的钢管混凝土构件。

2.2 符　　号

2.2.1 作用、作用效应和抗力：

M——弯矩；

N——轴心压力；

N_t——轴心拉力；

T——扭矩；

V——剪力；

N^T——火灾下轴心压力；

M_u、N_0、N_{ut}、T_u、V_u——常温下特殊钢管混凝土构件抗弯、轴心抗压强度、轴心抗拉、抗扭、抗剪承载力设计值；

N_u——特殊钢管混凝土构件轴心抗压稳定承载力设计值；

N_0^T——高温下，特殊钢管混凝土构件轴心抗压强度承载力设计值；

N_u^T——高温下，特殊钢管混凝土构件轴心抗压稳定承载力设计值；

M_{sc}——最外层钢管约束管内素混凝土构件抗弯承载力设计值；

M_b——外钢管内配所有加劲件（约束加劲件和非约束加劲件）抗弯承载力设计值；

N_b——内配非约束加劲件轴心抗压强度承载力设计值；

N_{tb}——内配非约束加劲件轴向抗拉承载力设计值；

T_{sc}——最外层钢管约束管内素混凝土构件的抗扭承载力设计值；

T_b——外钢管内配所有加劲件(约束加劲件和非约束加劲件)的抗扭承载力设计值;

V_{sc}——最外层钢管约束管内素混凝土构件的抗剪承载力设计值;

V_b——外钢管内配所有加劲件(约束加劲件和非约束加劲件)的抗剪承载力设计值。

2.2.2 材料性能和抗力:

EA——特殊钢管混凝土柱的组合轴压刚度;

EI——特殊钢管混凝土柱的组合抗弯刚度;

GA——特殊钢管混凝土柱的组合剪切刚度;

E_s、E_c、E_b——外钢管、混凝土、外钢管内加劲件的弹性模量;

G_s、G_c、G_b——外钢管、混凝土、外钢管内加劲件的剪变模量;

I_{sc}、I_s、I_c、I_b——特殊钢管混凝土构件、外钢管、混凝土、外钢管内加劲件的截面惯性矩;

B_{scb}、B_{scm}——特殊钢管混凝土构件截面的组合轴压弹性刚度、组合抗弯弹性刚度;

B_G、B_T——特殊钢管混凝土构件组合剪变刚度、组合抗扭刚度;

E_{sc}、E_{scm}——特殊钢管混凝土构件的组合弹性模量、组合抗弯弹性模量;

E_{sc}^T——高温下,特殊钢管混凝土构件的弹性模量;

E_s^T、E_b^T——高温下,钢管与内配加劲件的弹性模量;

$\overline{E}_c^T$——高温下,混凝土的平均弹性模量;

G_{ss}——特殊钢管混凝土构件组合剪变模量;

G_s——钢材的剪变模量;

f——钢材的轴向抗拉、抗压强度设计值；

f_{ck}、f_c——混凝土的轴心抗压强度标准值、设计值；

f_t——混凝土的轴心抗拉强度设计值；

f_{sc}——特殊钢管混凝土构件钢管约束素混凝土截面抗压强度设计值；

f_{sv}——特殊钢管混凝土抗剪强度设计值；

f_b——内配加劲件轴向抗压强度设计值；

f_{bt}——内配非约束加劲件轴向抗拉强度设计值；

f_{fsc}——FRP 钢管混凝土柱抗压强度设计值；

f_f——FRP 管的环向抗拉强度设计值；

f_{yv}——螺旋箍筋抗拉强度设计值；

$f_{s,i}$——第 i 层内钢管的抗压、抗拉强度设计值；

f^T、f_b^T——高温下，外钢管与内配加劲件的截面抗压强度设计值；

$\overline{f}_c^T$——高温下，混凝土的平均截面抗压强度设计值。

2.2.3 几何参数：

A_s、A_b、A_c——外钢管、内配加劲件以及管内混凝土的面积；

A_{sc}——特殊钢管混凝土构件的组合截面面积，即钢管和内部素混凝土截面积之和；

A_f——FRP 管面积；

$A_{s,i}$——第 i 层内钢管的面积；

$A_{sso i}$——第 i 层螺旋箍筋等效配筋面积；

A_{ssi}——第 i 层螺旋箍筋截面面积；

d_s——外钢管厚度；

d——保护层厚度；

L_0——抗压构件的计算长度；

W_{sc}、W_s、W_c——特殊钢管混凝土构件组合截面、钢管、管内混凝土的截面模量；

e——作用荷载的偏心距；

i_{sc}——特殊钢管混凝土构件的组合截面回转半径；

r_0——特殊钢管混凝土构件的截面半径；

r_{co}、r_{ci}——管内混凝土的外半径、内半径；

λ——保护层的导热系数；

λ_{sc}——特殊钢管混凝土构件的组合长细比，等于构件的计算长度与组合截面的回转半径之比；

$\bar{\lambda}_{sc}$——特殊钢管混凝土构件的正则长细比；

$\bar{\lambda}_{sc}^{T}$——高温下，特殊钢管混凝土构件的正则长细比；

λ_x——特殊钢管混凝土构件绕 x 轴的长细比；

λ_y——特殊钢管混凝土构件绕 y 轴的长细比；

λ_{ox}——格构式特殊钢管混凝土构件绕 x 轴的换算长细比；

λ_{oy}——格构式特殊钢管混凝土构件绕 y 轴的换算长细比；

λ_1——格构式特殊钢管混凝土构件的单肢长细比。

2.2.4 计算系数：

α_{sc}——特殊钢管混凝土构件的含钢率；

β_m——等效弯矩系数；

θ、θ_f、θ_y——特殊钢管混凝土构件的套箍系数；

f——轴心抗压构件稳定系数；

γ_{RE}——抗震调整系数；

γ_0——结构重要性系数；

k_{sc}^{T}——高温下特殊钢管混凝土构件的强度折减系数。

3 材　　料

3.1 钢　　管

3.1.1 普通钢材的选用和设计参数的选取应符合现行国家标准《钢结构设计规范》GB 50017 和《钢管混凝土结构技术规范》GB 50936 的有关规定。承重结构的圆钢管可采用焊接圆钢管、热轧无缝钢管。

3.1.2 高强钢管应采用低合金高强度钢和碳素结构钢。低合金高强钢管材料的选用应符合现行国家标准《低合金高强度结构钢》GB/T 1591 的有关规定，碳素结构钢管材料的选用应符合现行国家标准《碳素结构钢》GB/T 700 的有关规定。

3.1.3 不锈钢材料的选用应符合现行国家标准《不锈钢热轧钢板和钢带》GB/T 4237、《不锈钢冷轧钢板和钢带》GB/T 3280、《结构用不锈钢无缝钢管》GB/T 14975 中的有关规定。

3.1.4 耐候钢材料的选用应符合现行国家标准《耐候结构钢》GB/T 4171 的有关规定。

3.1.5 抗震设计时，特殊钢管混凝土结构的钢材应符合下列规定：

1 钢材的屈服强度实测值与抗拉强度实测值的比值不应大于 0.85；

2 钢材应有明显的屈服台阶，且伸长率不应小于 20%；

3 钢材应有良好的可焊性和合格的冲击韧性。

3.2 混　凝　土

3.2.1 钢管内的混凝土强度等级不宜低于 C30。混凝土的抗压强度和弹性模量应按现行国家标准《混凝土结构设计规范》GB

50010 采用。

3.2.2 高强混凝土的配合比设计、施工、质量检验和验收应符合现行行业标准《高强混凝土应用技术规程》JGJ/T 281 的规定。

3.2.3 轻质混凝土(含珊瑚混凝土)的配合比设计、施工、质量检验和验收应符合现行行业标准《轻骨料混凝土技术规程》JGJ 51 的规定。

3.2.4 海砂混凝土的配合比设计、施工和质量检验和验收应符合现行行业标准《海砂混凝土应用技术规范》JGJ 206 的规定。

3.2.5 特殊钢管混凝土构件中可采用珊瑚混凝土。

3.2.6 再生骨料混凝土的配合比设计、施工、质量检验和验收应符合现行行业标准《再生骨料应用技术规程》JGJ/T 240 的规定。其他再生资源骨料混凝土可按再生骨料混凝土的有关规定执行。

3.3 钢筋和型钢

3.3.1 内配钢筋和箍筋应符合现行国家标准《混凝土结构设计规范》GB 50010 的有关规定。

3.3.2 抗震设计时,钢管混凝土构件中的钢筋应符合下列规定:

1 钢筋的抗拉强度实测值与屈服强度实测值的比值不应小于 1.25;

2 钢筋的屈服强度实测值与屈服强度标准值的比值不应大于 1.30;

3 钢筋在最大拉力下的总伸长率实测值不应小于 9%。

3.3.3 内配型钢应符合现行国家行业标准《型钢混凝土组合结构技术规程》JGJ 138 的有关规定。

3.4 其他材料

3.4.1 纤维增强复合材料的选用应符合现行国家标准《纤维增强

复合材料建设工程应用技术规范》GB 50608 的有关规定。

3.4.2 用于特殊钢管混凝土构件的连接材料应符合现行国家标准《钢管混凝土结构技术规范》GB 50936 的有关规定。

4 基本规定

4.0.1 特殊钢管混凝土构件的外钢管径厚比、构件的容许长细比、外钢管径或外方形钢管边长及壁厚、套箍系数、空心率等要求应符合现行国家标准《钢管混凝土结构技术规范》GB 50936 的有关规定。

4.0.2 对钢管混凝土圆形构件截面直径大于 2m、方形构件截面边长大于 1.5m,宜采用内配加劲件的钢管混凝土。为方便施工,对送变电杆塔、微波塔、风力发电塔宜采用内配钢管的钢管混凝土构件,也可采用内配型钢的钢管混凝土构件;对工业与民用建筑宜采用内配钢管的钢管混凝土构件,也可采用内配箍筋和型钢的钢管混凝土构件。

4.0.3 特殊钢管混凝土柱的钢管在浇筑混凝土前,其轴心应力不宜大于钢管抗压强度设计值的 60%,并应满足稳定性要求。

4.0.4 重型工业厂房宜采用实心特殊钢管混凝土格构式柱,轻型工业厂房可采用空心特殊钢管混凝土单肢柱和格构式柱。

4.0.5 特殊钢管混凝土构件设计,应按承载能力极限状态和正常使用极限状态进行设计。

4.0.6 特殊钢管混凝土构件的承载力应按下列公式验算:

无地震作用组合:

$$\gamma_0 S_d \leqslant R_d \tag{4.0.6-1}$$

有地震作用组合:

$$S_d \leqslant R_d / \gamma_{RE} \tag{4.0.6-2}$$

式中:γ_0——结构重要性系数,对安全等级为一级的结构构件,不应小于 1.1;对安全等级为二级的结构构件,不应小于 1.0;

S_d——作用组合的效应设计值；

R_d——构件承载力设计值；

γ_{RE}——构件承载力抗震调整系数。

4.0.7 抗震设计时，特殊钢管混凝土构件的抗震调整系数应按表4.0.7采用。

表 4.0.7 承载力抗震调整系数 γ_{RE}

正截面承载力验算		斜截面承载力验算	节点板件、连接焊缝、连接螺栓	
钢管混凝土柱	支撑		强度验算	稳定验算
0.80	0.80	0.85	0.75	0.80

4.0.8 特殊钢管混凝土结构进行内力和位移计算时，特殊钢管混凝土构件的截面刚度可按下列公式计算：

$$EA = E_s A_s + E_c A_c + E_a A_a \quad (4.0.8\text{-}1)$$

$$EI = E_s I_s + E_c I_c + E_a I_a \quad (4.0.8\text{-}2)$$

$$GA = G_s A_s + G_c A_c + G_a A_a \quad (4.0.8\text{-}3)$$

式中：EA——特殊钢管混凝土柱的组合轴压刚度；

EI——特殊钢管混凝土柱的组合抗弯刚度；

GA——特殊钢管混凝土柱的组合剪切刚度；

E_s、E_c、E_a——外钢管、混凝土、外钢管内加劲件的弹性模量；

G_s、G_c、G_a——外钢管、混凝土、外钢管内加劲件的剪变模量；

A_s、A_c、A_a——外钢管、混凝土、外钢管内加劲件的截面面积；

I_s、I_c、I_a——外钢管、混凝土、外钢管内加劲件的截面惯性矩。

4.0.9 特殊钢管混凝土本构关系可按本规程附录A执行。

5 截面强度设计值

5.1 内填素混凝土的特殊钢管混凝土构件截面抗压强度设计值

5.1.1 内填素混凝土的特殊钢管混凝土构件，钢管约束素混凝土截面强度抗压设计值按下列公式计算(图 5.1.1)，对钢管高强混凝土构件截面强度抗压设计值也可按本规程附录 B 中表 B.0.1 确定：

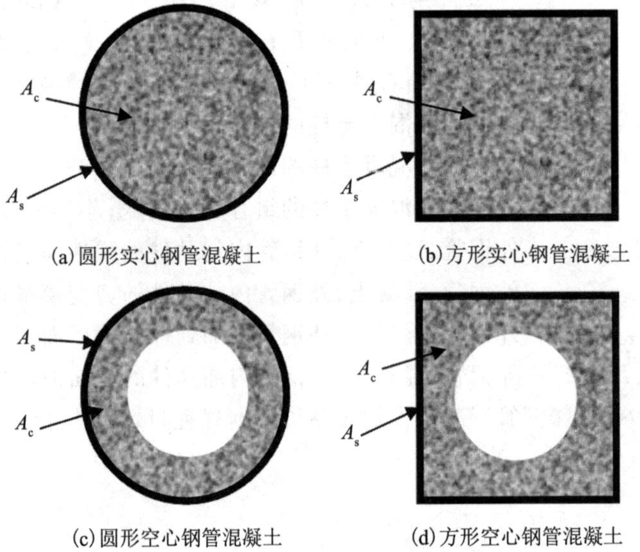

图 5.1.1 内填素混凝土的特殊钢管混凝土构件截面示意

$$f_{sc}=(1.212+B\theta+C\theta^2)f_c \qquad (5.1.1\text{-}1)$$

$$B = \frac{0.176f}{213} + 0.974 \quad (5.1.1\text{-}2)$$

$$C = \frac{-0.104 \times f_c}{14.4} + 0.031 \quad (5.1.1\text{-}3)$$

$$\theta = k_1 \alpha_{sc} \frac{f}{f_c} \quad (5.1.1\text{-}4)$$

$$\alpha_{sc} = \frac{A_s}{A_c} \quad (5.1.1\text{-}5)$$

式中：f_{sc}——特殊钢管混凝土构件钢管约束素混凝土截面抗压强度设计值(MPa)；

B、C——钢材和混凝土等级对套箍效应的影响系数；

θ——钢管混凝土构件的套箍系数；

k_1——截面形状对套箍效应的影响系数；对于圆形实心截面，k_1 取 1.0；对于方形实心截面，k_1 取 0.742；圆形空心截面，k_1 取 0.6；方形空心截面，k_1 取 0.3；

α_{sc}——含钢率；

f——钢管的抗压强度设计值(MPa)；

f_c——混凝土的抗压强度设计值(MPa)；

A_s、A_c——外钢管、管内混凝土的面积(mm^2)。

5.1.2 FRP 约束钢管混凝土构件截面抗压强度设计值按下列公式计算(图 5.1.2)：

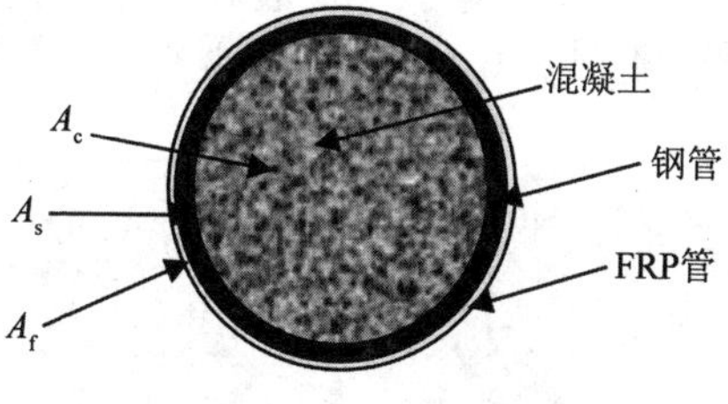

图 5.1.2 FRP 钢管混凝土构件截面示意

$$f_{sc} = (1.212 + B\theta_f + C\theta_f^2) f_c \quad (5.1.2\text{-}1)$$

$$\theta_{\mathrm{f}}=\alpha_{\mathrm{sc}}\,\frac{f}{f_{\mathrm{c}}}(1+k_{\theta}) \qquad (5.1.2\text{-}2)$$

$$k_{\theta}=\frac{f_{\mathrm{f}}A_{\mathrm{f}}}{fA_{\mathrm{s}}} \qquad (5.1.2\text{-}3)$$

式中：A_{f}——FRP 管面积（mm^2）；

θ_{f}——FRP 约束钢管混凝土构件的套箍系数；

k_{θ}——FRP 管对管内混凝土的套箍作用与钢管对混凝土套箍作用的比值；

f_{f}——FRP 管的环向抗拉强度设计值(MPa)。

5.2 内配加劲件的钢管混凝土构件截面强度设计值

5.2.1 内配约束型加劲件的钢管混凝土构件截面抗压强度由多层钢管及螺旋箍筋约束素混凝土截面抗压强度和内配非约束型纵向钢筋的轴向抗压强度组成(图 5.2.1)。多层钢管和螺旋箍筋约束素混凝土截面抗压强度设计值按下列公式计算：

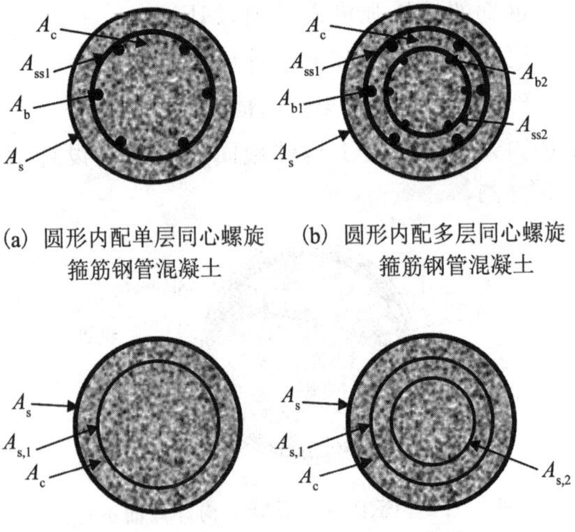

(a) 圆形内配单层同心螺旋箍筋钢管混凝土

(b) 圆形内配多层同心螺旋箍筋钢管混凝土

(c) 圆形内配单层同心钢管实心钢管混凝土

(d) 圆形内配多层同心钢管实心钢管混凝土

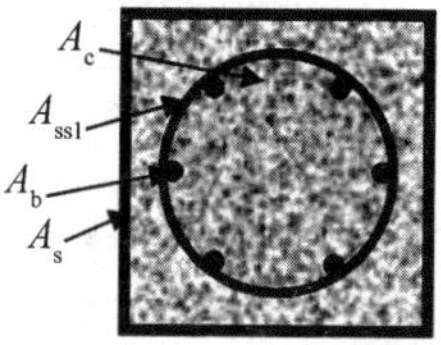

(e) 方形内配单层螺旋箍筋
钢管混凝土

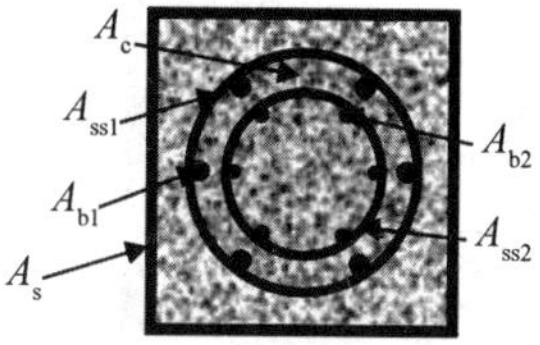

(f) 方形内配多层螺旋箍筋
钢管混凝土

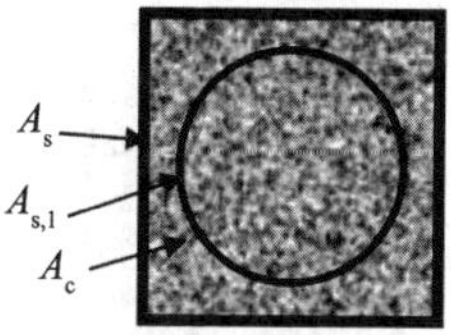

(g)方形内配单层同心钢管
实心钢管混凝土

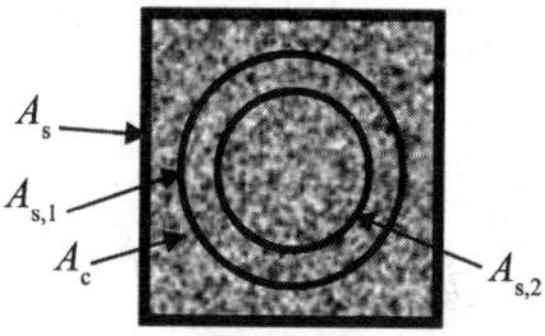

(h)方形内配多层同心钢管
实心钢管混凝土

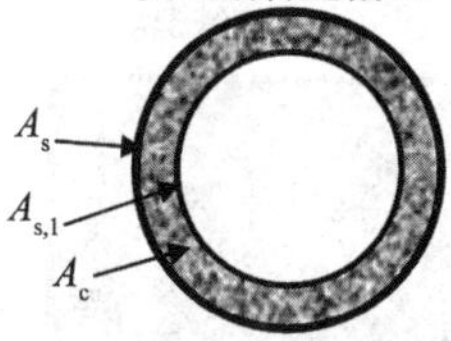

(i)圆形内配单层同心钢管
空心钢管混凝土

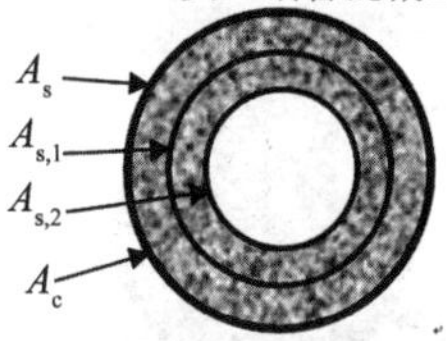

(j)圆形内配多层同心钢管
空心钢管混凝土

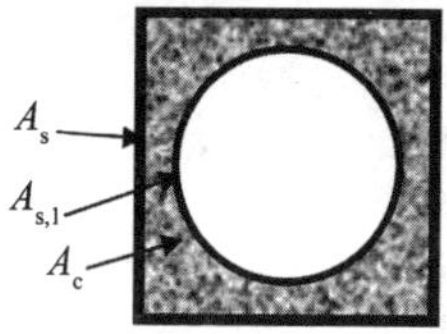

(k)方形内配单层同心钢管
空心钢管混凝土

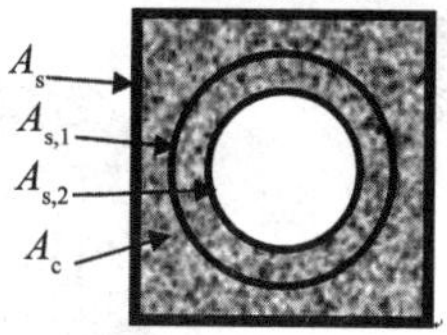

(l)方形内配多层同心钢管
空心钢管混凝土

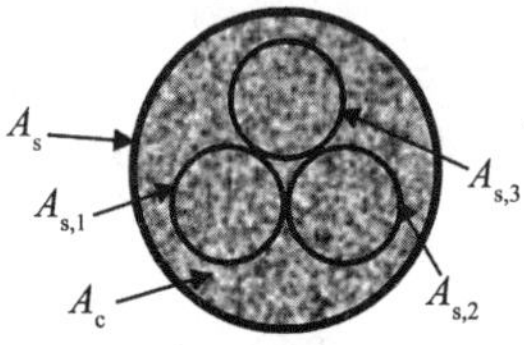

(m)圆形内配异心钢管
实心钢管混凝土

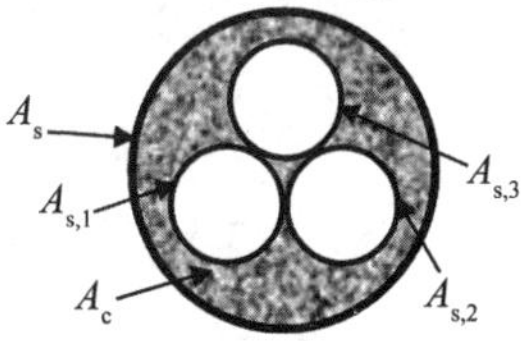

(n)圆形内配异心钢管
空心钢管混凝土

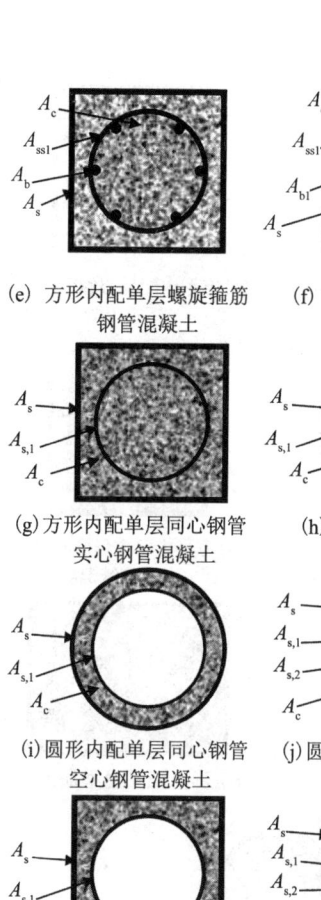

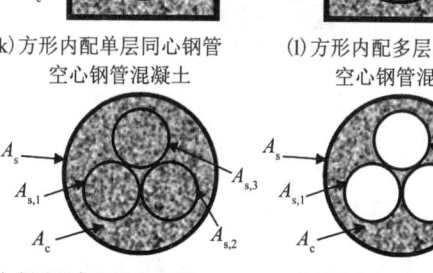

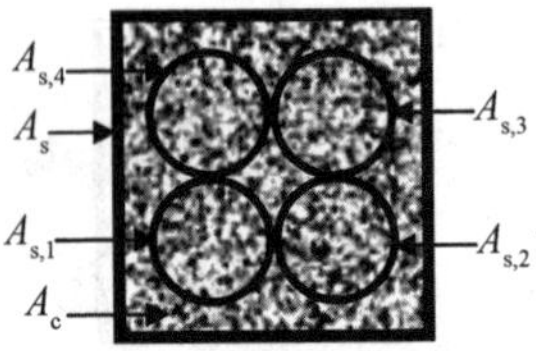

(o)方形内配异心钢管实心钢管混凝土

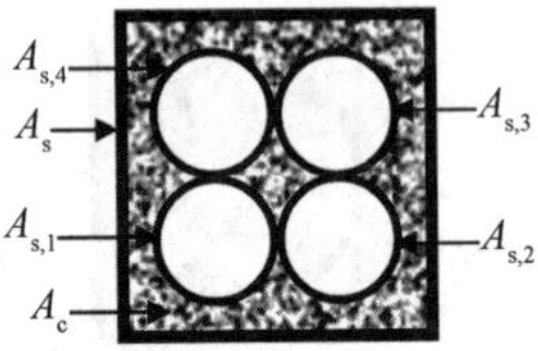

(p)方形内配异心钢管空心钢管混凝土

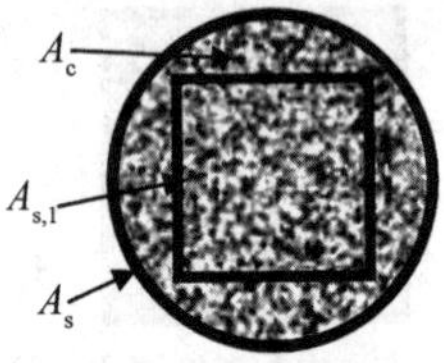

(q)圆形内配方形同心钢管实心钢管混凝土

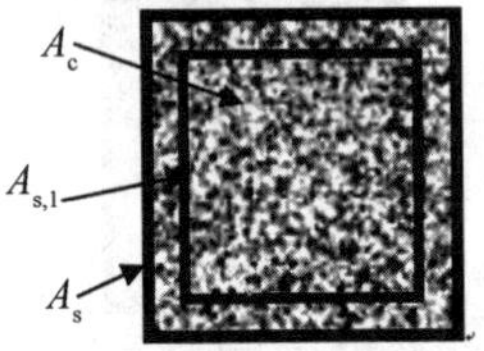

(r)方形内配方形同心钢管实心钢管混凝土

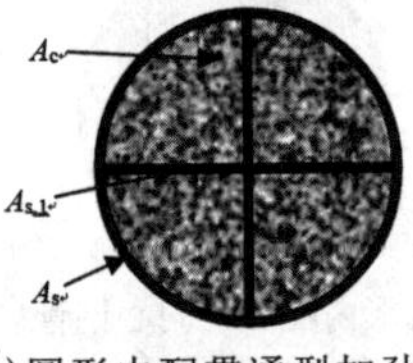

(s)圆形内配贯通型加劲件实心钢管混凝土

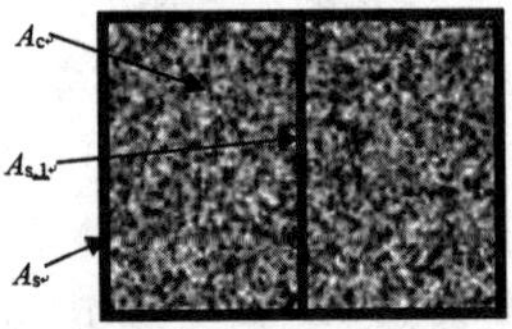

(t)矩形内配贯通型加劲件实心钢管混凝土

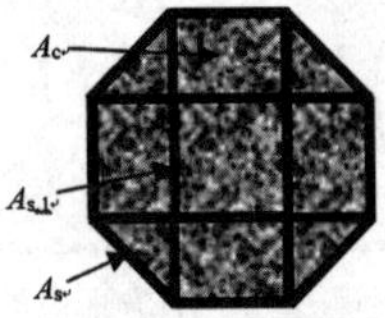

(u)多边形内配贯通型加劲件实心钢管混凝土

图 5.2.1 内配约束型加劲件的钢管混凝土构件截面示意

$$f_{sc} = (1.212 + B\theta_y + C\theta_y^2) f_c \tag{5.2.1-1}$$

$$\theta_y = \frac{k_1 A_s f + k_1 f_{yv} \sum_{i=1}^{n} A_{ssoi} + k_1 \sum_{i=1}^{n} A_{s,i} f_{s,i}}{A_c f_c} \tag{5.2.1-2}$$

$$A_{ssoi}=\frac{\pi d_s A_{ssi}}{s} \tag{5.2.1-3}$$

式中：f_{sc}——多层钢管和螺旋箍筋约束素混凝土截面截面抗压强度设计值(MPa)，其中内配单层螺旋箍筋和内配单层圆钢管的实心或空心钢管混凝土构件截面抗压强度设计值也可按本规程附录B表B.0.2和表B.0.3确定；

θ_y——内配加劲件钢管混凝土构件的套箍系数；

A_s、A_c——外钢管、管内混凝土的面积(mm^2)，当配筋率小于3%时，核心混凝土面积为钢管内层面积，当配筋率大于3%时，核心混凝土面积需减去内配加劲件面积；

k_1——截面形状对套箍效应的影响系数；对于圆形钢管和螺旋箍筋产生的套箍效应，取$k_1=1$；对于方形钢管产生的套箍效应，取$k_1=0.742$；

f_{yv}——螺旋箍筋抗拉强度(MPa)；

n——内配螺旋箍筋或钢管总层数；

A_{ssoi}——第i层螺旋箍筋等效配筋面积(mm^2)；

$f_{s,i}$——第i层内钢管的抗压强度设计值(MPa)；

$A_{s,i}$——第i层内钢管的面积(mm^2)；

A_{ssi}——第i层螺旋箍筋截面面积(mm^2)；

d_s——螺旋箍筋包围混凝土柱的直径(mm)；

s——螺旋箍筋间距(mm)。

5.2.2 内配非约束型加劲件的钢管混凝土构件截面抗压强度由钢管约束素混凝土截面抗压强度和内配非约束型纵向钢筋及开口型钢截面的轴向抗压强度组成(图5.2.2)。钢管约束素混凝土截面抗压强度设计值按本规程公式(5.1.1-1)计算，不考虑非约束型加劲件(含方形箍筋)的套箍作用：

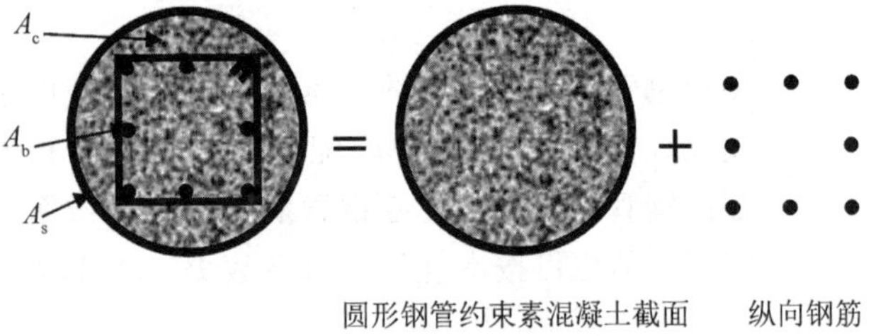

(a)圆形内配方形箍筋钢管混凝土

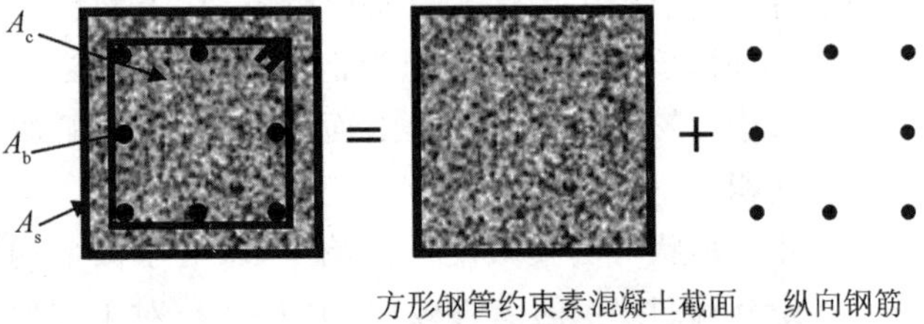

(b)方形内配方形箍筋钢管混凝土

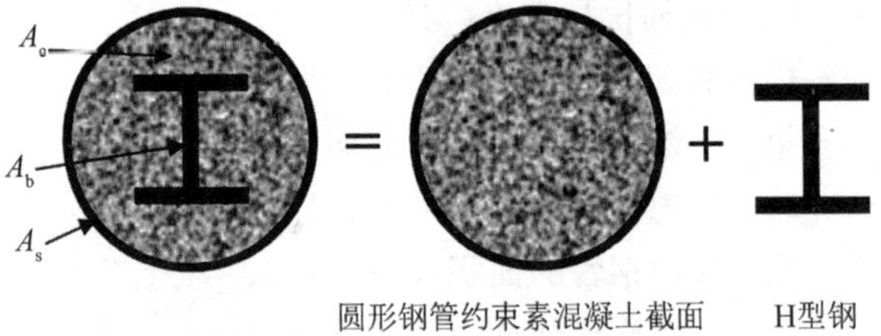

(c)圆形内配工字型钢钢管混凝土

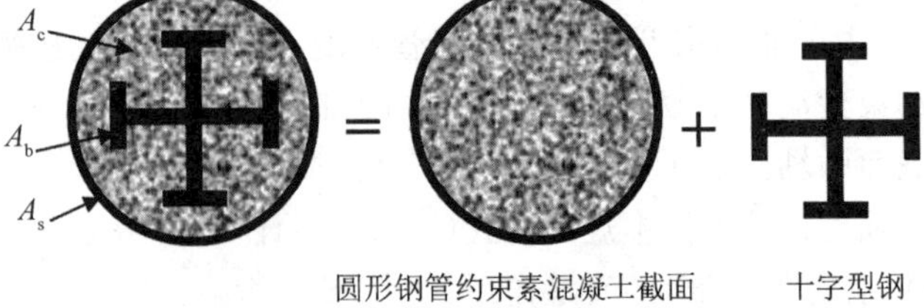

(d)圆形内配十字型钢钢管混凝土

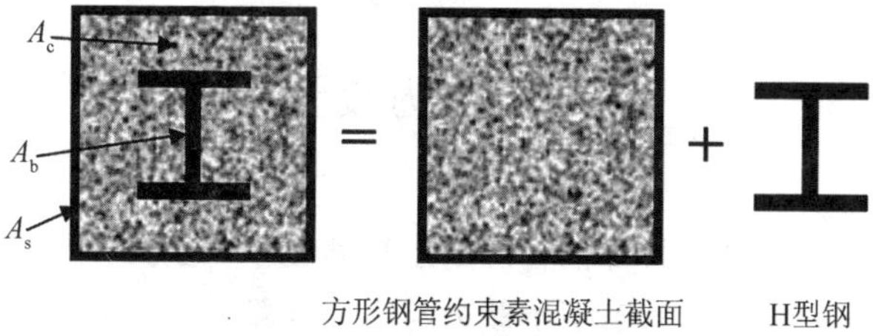

(e)方形内配工字型钢钢管混凝土

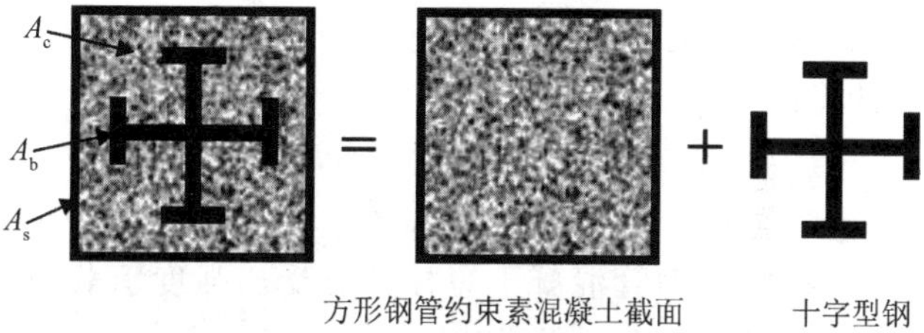

(f)方形内配十字型钢钢管混凝土

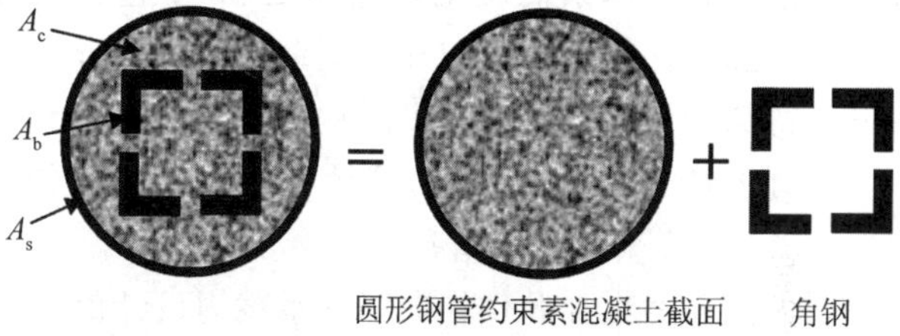

(g)圆形内配角钢钢管混凝土

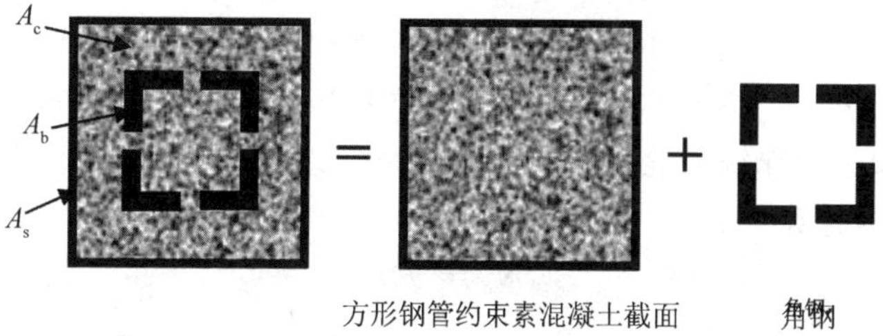

(h)方形内配角钢钢管混凝土

图 5.2.2 内配非约束型加劲件的钢管混凝土构件截面示意

6 承载力设计

6.1 特殊钢管混凝土构件在单一受力状态下承载力与刚度计算

6.1.1 特殊钢管混凝土短柱轴心受压强度承载力设计值应按下列公式计算：

$$N_0 = A_{sc} f_{sc} + N_b \qquad (6.1.1\text{-}1)$$

$$N_b = A_b f_b \qquad (6.1.1\text{-}2)$$

式中：N_0——特殊钢管混凝土短柱轴心受压强度承载力设计值(N)；

A_{sc}——钢管和内部素混凝土截面积之和，不包括内配非约束加劲件纵向钢筋和开口型钢的面积(mm^2)；

f_{sc}——特殊钢管混凝土短柱多层钢管及螺旋箍筋约束素混凝土截面的抗压强度设计值(MPa)，按本规程第5.1、5.2节规定取值；

N_b——内配非约束加劲件轴向强度承载力设计值(N)，包括内配纵向钢筋和开口型钢的强度承载力设计值；

A_b——内配非约束加劲件截面面积(mm^2)；

f_b——内配非约束加劲件轴向抗压强度设计值(MPa)。

6.1.2 特殊钢管混凝土构件轴心受压稳定承载力设计值应按下列公式计算：

$$N_u = \varphi N_0 \qquad (6.1.2\text{-}1)$$

$$\varphi = \frac{1}{2\bar{\lambda}_{sc}^2}\left[\bar{\lambda}_{sc}^2 + (1+\varepsilon_{sc}) - \sqrt{\left[\bar{\lambda}_{sc}^2 + (1+\varepsilon_{sc})\right]^2 - 4\bar{\lambda}_{sc}^2}\right] \qquad (6.1.2\text{-}2)$$

$$\varepsilon_{sc} = K\bar{\lambda}_{sc} \qquad (6.1.2\text{-}3)$$

$$\bar{\lambda}_{sc} = \frac{\lambda_{sc}}{\pi}\sqrt{\frac{f_{sc}}{E_{sc}}} \tag{6.1.2-4}$$

$$\lambda_{sc} = L_0 / i_{sc} \tag{6.1.2-5}$$

$$i_{sc} = \sqrt{I_{sc}/A_{sc}} \tag{6.1.2-6}$$

式中：N_u——特殊钢管混凝土构件轴心受压稳定承载力设计值(N)；

φ——轴心受压构件稳定系数；

$\bar{\lambda}_{sc}$——构件的正则长细比；

ε_{sc}——构件的等效初始偏心率；

K——等效初始弯曲系数。对于高强钢管混凝土构件，K 取为 $0.25 \cdot (235/f_y)^{0.8}$，$f_y$ 为高强钢管抗压强度设计值；对其他构件，K 取为 0.25；

λ_{sc}——构件的长细比；

L_0——构件的计算长度(mm)；

i_{sc}——构件的回转半径(mm)；

E_{sc}——构件的弹性模量，按本规程第 4.0.8 条规定取值。

6.1.3 特殊钢管混凝土构件轴心受拉强度承载力设计值应按下列公式计算：

$$N_{ut} = 1.1(A_s f + \sum_{i=1}^{n} \sum A_{s,i} f_{s,i}) + \varphi_1 N_{tb} \tag{6.1.3-1}$$

$$N_{tb} = A_b f_{bt} \tag{6.1.3-2}$$

式中：N_{ut}——特殊钢管混凝土构件轴心受拉强度承载力设计值(N)；

N_{tb}——内配非约束加劲件轴向抗拉强度承载力设计值(N)，包括内配纵筋、开口型钢抗拉强度承载力设计值(N)；

f——外钢管钢材的抗拉强度设计值(MPa)；

$f_{s,i}$——内配约束加劲件钢管第 i 层钢管的抗拉强度设计值(MPa)；

f_{bt}——内配非约束加劲件的轴向抗拉强度设计值(MPa)；

φ_1——由于非全截面均匀受拉导致内配加劲件承载力修正系数，等于内配加劲件应力与外钢管应力之比，通过试验确定。

6.1.4 特殊钢管混凝土构件的受剪承载力设计值应按下式计算：

$$V_u = V_{sc} + V_b \tag{6.1.4}$$

式中：V_u——特殊钢管混凝土构件的受剪承载力设计值(N)；

V_{sc}——最外层钢管约束管内素混凝土构件的受剪承载力设计值(N)，按现行国家标准《钢管混凝土结构技术规范》GB 50936 的规定计算；

V_b——外钢管内配所有加劲件(约束加劲件和非约束加劲件)的受剪承载力设计值(N)，按现行国家标准《钢结构设计规范》GB 50017 的规定计算。

6.1.5 特殊钢管混凝土构件的受扭承载力设计值应按下式计算：

$$T_u = T_{sc} + T_b \tag{6.1.5}$$

式中：T_u——特殊钢管混凝土构件的受扭承载力设计值(N・m)；

T_{sc}——最外层钢管约束管内素混凝土构件的受扭承载力设计值(N・m)，按现行国家标准《钢管混凝土结构技术规范》GB 50936 的规定计算；

T_b——外钢管内配所有加劲件(约束加劲件和非约束加劲件)的受扭承载力设计值(N・m)，按现行国家标准《钢结构设计规范》GB 50017 的规定计算。

6.1.6 特殊钢管混凝土构件的受弯承载力设计值应按下式计算：

$$M_u = M_{sc} + M_b \tag{6.1.6}$$

式中：M_u——特殊钢管混凝土构件的受弯承载力设计值(N・m)；

M_{sc}——最外层钢管约束管内素混凝土构件受弯承载力(N・m)，按现行国家标准《钢管混凝土结构技术规范》GB 50936 的规定计算；

M_b——外钢管内配所有加劲件(约束加劲件和非约束加劲

件）受弯承载力（N·m），按现行国家标准《钢结构设计规范》GB 50017 的规定计算。

6.2 格构式特殊钢管混凝土构件在单一受力状态下承载力计算

6.2.1 格构式特殊钢管混凝土构件的轴压稳定承载力设计值应按下式计算：

$$N_{u} = \varphi \sum N_{0} \tag{6.2.1}$$

式中：N_u——格构式特殊钢管混凝土构件的轴压稳定承载力设计值（N）；

N_0——格构式特殊钢管混凝土构件中每个单肢的轴压承载力设计值（N），按本规程第 6.1.1 条规定取值；

φ——格构式特殊钢管混凝土轴心受压构件稳定系数，按现行国家标准《钢管混凝土结构技术规范》GB 50936 的规定采用。

6.2.2 格构式特殊钢管混凝土构件的受剪承载力和受扭承载力设计值应按下列公式计算：

$$V_{u} = \sum V_{ui} \tag{6.2.2-1}$$

$$T_{u} = \sum T_{ui} + \sum V_{ui} r_{i} \tag{6.2.2-2}$$

式中：V_{ui}——各柱肢特殊钢管混凝土构件的受剪承载力设计值（N），按本规程第 6.1.4 条规定计算；

T_{ui}——各柱肢特殊钢管混凝土构件的受扭承载力设计值（N·m），按本规程第 6.1.5 条规定计算；

r_i——各柱肢特殊钢管混凝土构件截面形心到格构式截面中心的距离（mm）。

6.2.3 格构式特殊钢管混凝土轴心受压构件单肢稳定承载力验算、缀材所受剪力设计值，按现行国家标准《钢管混凝土结构技术规范》GB 50936 的规定采用。

6.3 特殊钢管混凝土构件在复杂受力状态下承载力计算

6.3.1 单肢特殊钢管混凝土构件在复杂应力状态下承载力应符合下列规定：

1 承受压、弯、扭、剪共同作用时，构件的承载力应按下列公式计算：

1) 当 $\frac{N}{N_u} \geqslant 0.255\left[1-\left(\frac{T}{T_u}\right)^2-\left(\frac{V}{V_u}\right)^2\right]$ 时，

$$\frac{N}{N_u}+\frac{\beta_m M}{1.5M_u(1-0.4N/N'_E)}+\left(\frac{T}{T_u}\right)^2+\left(\frac{V}{V_u}\right)^2 \leqslant 1 \tag{6.3.1-1}$$

2) 当 $\frac{N}{N_u} < 0.255\left[1-\left(\frac{T}{T_u}\right)^2-\left(\frac{V}{V_u}\right)^2\right]$ 时，

$$-\frac{N}{2.17N_u}+\frac{\beta_m M}{M_u(1-0.4N/N'_E)}+\left(\frac{T}{T_u}\right)^2+\left(\frac{V}{V_u}\right)^2 \leqslant 1 \tag{6.3.1-2}$$

$$N'_E = 8.96E_{sc}A_{sc}/\lambda_{sc}^2 \tag{6.3.1-3}$$

式中：N、M、T 与 V——作用于构件的轴心压力、弯矩、扭矩和剪力设计值；

β_m——等效弯矩系数，按现行国家标准《钢结构设计规范》GB 50017 的规定采用；

N'_E——系数。

计算单层厂房框架柱时，柱的计算长度按现行国家标准《钢结构设计规范》GB 50017 的规定采用；计算高层建筑的框架柱、核心筒柱时，柱的计算长度按现行行业标准《高层民用建筑钢结构技术规程》JGJ 99 的规定采用。

2 当只有轴心压力和弯矩作用时的压弯构件，应按下列公式计算：

1）当 $\frac{N}{N_u} \geqslant 0.255$ 时：

$$\frac{N}{N_u} + \frac{\beta_m M}{1.5M_u(1-0.4N/N'_E)} \leqslant 1 \quad (6.3.1\text{-}4)$$

2）当 $\frac{N}{N_u} < 0.255$ 时：

$$-\frac{N}{2.17N_u} + \frac{\beta_m M}{M_u(1-0.4N/N'_E)} \leqslant 1 \quad (6.3.1\text{-}5)$$

3 当只有轴心拉力和弯矩作用时的拉弯构件，应按下列公式计算：

$$\frac{N}{N_{ut}} + \frac{M}{M_u} \leqslant 1 \quad (6.3.1\text{-}6)$$

6.3.2 格构式特殊钢管混凝土构件承受压、受弯、受扭、受剪共同作用时，转化为每个单肢柱承受复杂受力状态下，应按本规程第6.3.1条验算承载力。

7 防火设计

7.0.1 火灾标准升温曲线按下式计算：

$$T_f = 345\log(8t+1) + T_0 \qquad (7.0.1\text{-}1)$$

式中：t——时间(min)；

T_f——火灾温度(℃)；

T_0——初始环境温度(℃)，取20℃。

7.0.2 高温下材料的力学特性和热工参数应符合下列规定：

1 高温下钢管与内配加劲件的抗压强度设计值按下式计算：

$$f^T = fe^{-\left(\frac{T-20}{601}\right)^{2.5}} \quad 20℃ \leqslant T \leqslant 1200℃ \qquad (7.0.2\text{-}1)$$

式中：f——常温下的钢管与内配加劲件强度设计值(MPa)；

T——钢材的温度(℃)；

e——自然对数底，$e=2.71828$。

2 高温下钢管与内配加劲件的弹性模量 E_s^T 应按下式计算：

$$E_s^T = E_s e^{-\left(\frac{T-20}{652}\right)^{3}} \quad 20℃ \leqslant T \leqslant 1200℃ \qquad (7.0.2\text{-}2)$$

式中：E_s——常温下钢管与内配加劲件的弹性模量；

T——钢管与钢筋的温度。

3 高温下混凝土的抗压强度设计值按下式计算：

$$f_c^T = f_c e^{-\left(\frac{T-20}{622}\right)^{2.5}} \quad 20℃ \leqslant T \leqslant 1200℃ \qquad (7.0.2\text{-}3)$$

式中：f_c——常温下的混凝土强度设计值；

T——混凝土的温度。

4 高温下混凝土弹性模量 E_c^T 按下式计算：

$$E_c^T = E_c e^{-\frac{T-20}{300}} \quad 20℃ \leqslant T \leqslant 1200℃ \qquad (7.0.2\text{-}4)$$

式中：E_c——常温下的混凝土弹性模量；

T——混凝土的温度。

5 钢管与内配加劲件的热工参数取值应符合下列规定：

1） 钢管与内配加劲件的密度：

$$\rho_s = 7850\text{kg/m}^3 \tag{7.0.2-5}$$

2） 钢管与内配加劲件导热系数：

$$k_s = \begin{cases} -0.022T + 48 & 0℃ \leqslant T \leqslant 900℃ \\ 28.2 & T > 900℃ \end{cases} \tag{7.0.2-6}$$

式中：k_s——钢管与内配加劲件导热系数[W/(m·℃)]。

3） 钢管与内配加劲件的比热应按下式计算：

$$c_s = \begin{cases} 0.510T + 420.38 & 0℃ \leqslant T \leqslant 650℃ \\ 8.662T - 4878.98 & 650℃ < T \leqslant 725℃ \\ -10.955T + 9343.95 & 725℃ < T \leqslant 800℃ \\ 579.617 & T > 800℃ \end{cases} \tag{7.0.2-7}$$

式中：c_s——钢管与内配加劲件的比热[J/(kg·℃)]。

4） 钢管与内配加劲件的热膨胀系数应按下式计算：

$$\alpha_s = \begin{cases} (0.004T + 12) \times 10^{-6} & 0℃ \leqslant T < 1000℃ \\ 16 \times 10^{-6} & T \geqslant 1000℃ \end{cases} \tag{7.0.2-8}$$

式中：α_s——钢管与内配加劲件的热膨胀系数[m/(m·℃)]。

6 混凝土的热工参数取值应符合下列规定：

1） 混凝土的密度：$\rho_c = 2350\text{kg/m}^3$

2） 混凝土的导热系数应按下式计算：

$$k_c = \begin{cases} 1.355 & 0℃ \leqslant T \leqslant 293℃ \\ 1.716 - 0.0012T & T > 293℃ \end{cases} \tag{7.0.2-9}$$

式中：k_c——混凝土的等热系数[W/(m·℃)]。

3） 混凝土的比热应按下式计算：

$$c_c = \begin{cases} 1091.91 & 0℃ \leqslant T \leqslant 400℃ \\ 75.106T - 28950.64 & 400℃ < T \leqslant 410℃ \\ -21.460T + 10641.15 & 410℃ < T \leqslant 445℃ \\ 1091.91 & 445℃ < T \leqslant 500℃ \\ 6.821T - 2318.64 & 500℃ < T \leqslant 635℃ \\ 70.787T - 42937.13 & 636℃ < T \leqslant 715℃ \\ -94.055T + 74924.86 & 715℃ < T \leqslant 785℃ \\ 1091.914 & T > 785℃ \end{cases}$$

(7.0.2-10)

式中：c_c——混凝土的比热[J/(kg·℃)]。

4）混凝土的热膨胀系数应按下式计算：

$$\alpha_c = (0.008T + 6) \times 10^{-6} \qquad (7.0.2\text{-}11)$$

式中：α_c——混凝土的热膨胀系数[m/(m·℃)]。

7.0.3 标准升温曲线下构件的温度场计算应符合下列规定：

1 圆形截面内配圆形加劲件的钢管混凝土构件(7.0.3-1)应符合下列规定：

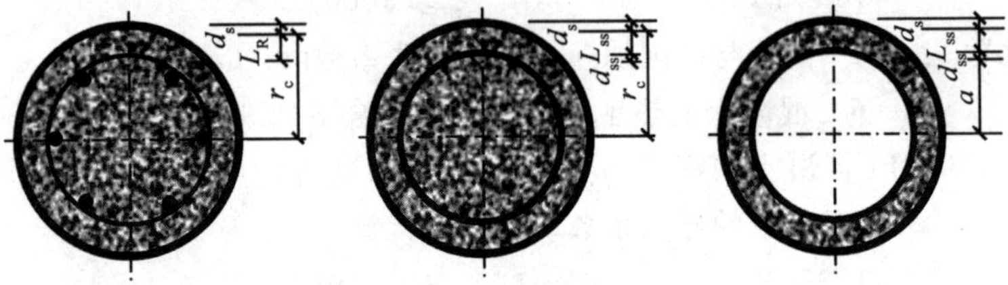

图 7.0.3-1 内配螺旋箍筋或圆钢管的圆形钢管混凝土构件截面

1）外钢管的温度 T_s 按下列公式计算：

$$T_s = A\left[1 - \frac{1}{1+\left(\frac{t}{B}\right)^c}\right] + 20 \qquad (7.0.3\text{-}1)$$

$$A = 1200 \qquad (7.0.3\text{-}2)$$

$$B = 20.22 + 0.51d_s \quad (7.0.3\text{-}3)$$

$$C = 0.996 + 0.014d_s \quad (7.0.3\text{-}4)$$

式中：t——时间(min)；

T_s——外钢管的温度(℃)；

d_s——外钢管厚度(mm)。

2）混凝土的平均温度 $\overline{T}_c$ 按下列公式计算：

$$\overline{T}_c = \frac{2}{1 + a/r_c} \times A\left[1 - \frac{1}{1 + \left(\frac{t}{B}\right)^C}\right] + 20 \quad (7.0.3\text{-}5)$$

$$A = 120 + 1080e^{-0.00447L_c} \quad (7.0.3\text{-}6)$$

$$B = 20.22 + 0.51d_s + 1.8L_c(L_c^2 \times 10^{-6} - 0.00146L_c + 0.64) \quad (7.0.3\text{-}7)$$

$$C = 0.996 + 0.014d_s \quad (7.0.3\text{-}8)$$

式中：$\overline{T}_c$——混凝土的平均温度(℃)；

r_c——混凝土的等效外半径(mm)；

a——空心半径(mm)；

L_c——混凝土的等效厚度(mm)，$L_c = r_c - a$。

3）内配加劲件的温度 T_R 按下列公式计算：

$$T_R - T_0 = \theta_R = A\left[1 - \frac{1}{1 + \left(\frac{t}{\beta_R B}\right)^C}\right] \quad (7.0.3\text{-}9)$$

$$A = 1200 \quad (7.0.3\text{-}10)$$

$$B = 20.22 + 0.51d_s \quad (7.0.3\text{-}11)$$

$$C = 0.996 + 0.014d_s \quad (7.0.3\text{-}12)$$

$$\beta_R = 1 + 0.222L_R \quad (7.0.3\text{-}13)$$

式中：T_R——内配加劲件的温度(℃)；

L_R——内配加劲件保护层厚度(mm)。

4）内钢管的温度 T_{ss} 按下列公式计算：

$$T_{ss} - T_0 = \theta_{ss} = A\left[1 - \frac{1}{1 + \left(\frac{t}{\beta_{ss} B}\right)^C}\right] \quad (7.0.3\text{-}14)$$

$$A = 1200 \tag{7.0.3-15}$$

$$B = 20.22 + 0.51d_{ss} \tag{7.0.3-16}$$

$$C = 0.996 + 0.014d_{ss} \tag{7.0.3-17}$$

$$\beta_{ss} = -17.256 + 0.409L_{ss} \tag{7.0.3-18}$$

式中：T_{ss}——内钢管的温度(℃)；

L_{ss}——夹芯层混凝土厚度(mm)；

d_{ss}——内钢管厚度(mm)。

2 其他截面钢管混凝土构件应符合下列规定(图 7.0.3-2)：

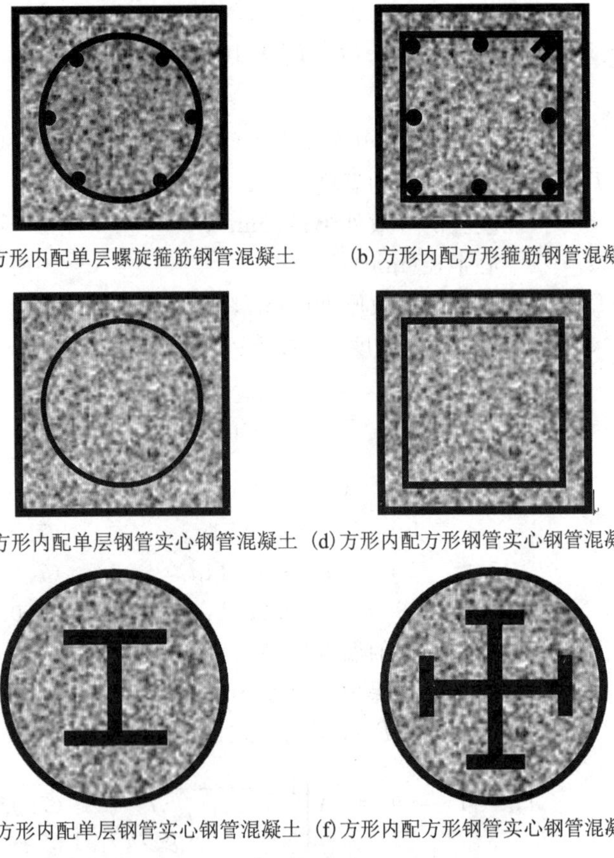

(a)方形内配单层螺旋箍筋钢管混凝土　(b)方形内配方形箍筋钢管混凝土

(c)方形内配单层钢管实心钢管混凝土　(d)方形内配方形钢管实心钢管混凝土

(e)方形内配单层钢管实心钢管混凝土　(f)方形内配方形钢管实心钢管混凝土

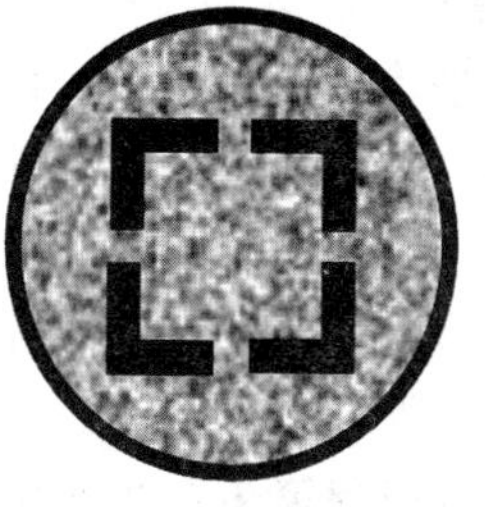

(g)圆形内配工字型钢钢管混凝土

(h)圆形内配十字型钢钢管混凝土

图 7.0.3-2 其他截面钢管混凝土构件截面

方形钢管混凝土截面内配方形箍筋和方形钢管温度场计算，可按面积相等等效为不同外径的圆形截面，采用本规程第 7.0.3 条第 1 款的方法计算；对其他内配开口非约束加劲件钢管混凝土构件温度场计算，需要通过传热计算得到。

7.0.4 标准火灾升温曲线下构件的抗压强度承载力设计值应符合下列规定：

1 火灾下构件的抗压强度承载力设计值按下式计算：

$$N_0^{\mathrm{T}} = k_{\mathrm{sc}}^{\mathrm{T}} N_0 \tag{7.0.4-1}$$

$$k_{\mathrm{sc}}^{\mathrm{T}} = \frac{A_{\mathrm{c}}\overline{f}_{\mathrm{c}}^{\mathrm{T}} + A_{\mathrm{s}}f^{\mathrm{T}} + A_{\mathrm{b}}f_{\mathrm{b}}^{\mathrm{T}}}{A_{\mathrm{c}}f_{\mathrm{c}} + A_{\mathrm{s}}f + A_{\mathrm{b}}f_{\mathrm{b}}} \tag{7.0.4-2}$$

$$\overline{f}_{\mathrm{c}}^{\mathrm{T}} = f_{\mathrm{c}} \times \begin{cases} 1 - \dfrac{\overline{T}_{\mathrm{c}} - 20}{918} & 20 < \overline{T}_{\mathrm{c}} \leqslant 938 \\ 0 & \overline{T}_{\mathrm{c}} > 938 \end{cases} \tag{7.0.4-3}$$

式中：N_0——常温下特殊钢管混凝土构件的抗压强度设计值，按本规程第 6.1.1 条计算；

$k_{\mathrm{sc}}^{\mathrm{T}}$——$t$ 时刻高温下的强度折减系数；

A_{s}、A_{b}、A_{c}——外钢管、内配加劲件以及管内混凝土的面积；

f^{T}、$f_{\mathrm{b}}^{\mathrm{T}}$——$t$ 时刻高温下外钢管与内配加劲件的截面抗压强度设计值，按本规程第 7.0.2 条计算，其中温度按本规程的 7.0.3 条计算；

$\overline{f}_c^T$——t 时刻高温下混凝土的平均截面抗压强度设计值。对圆形钢管混凝土内素混凝土，其平均截面抗压强度设计值按式(7.0.4-3)计算，对其它情况，按面积相等等效为不同外径的圆形截面后按式(7.0.4-3)计算；

$\overline{T}_c$——混凝土的平均温度，按本规程第 7.0.3 条计算。

2 火灾下构件的稳定承载力设计值按下列公式计算：

$$N_u^T = \varphi_T N_0^T \tag{7.0.4-4}$$

$$\varphi_T = \frac{1}{2(\overline{\lambda}_{sc}^T)^2}\left\{(\overline{\lambda}_{sc}^T)^2 + 0.25\overline{\lambda}_{sc}^T + 1 - \sqrt{[(\overline{\lambda}_{sc}^T)^2 + 0.25\overline{\lambda}_{sc}^T + 1]^2 - 4(\overline{\lambda}_{sc}^T)^2}\right\} \tag{7.0.4-5}$$

$$E_{sc}^T = (\overline{E}_c^T I_c + E_s^T I_s + E_b^T I_b)/I_{sc} \tag{7.0.4-6}$$

$$\overline{E}_c^T = E_c e^{-\frac{\overline{T}_c - 20}{211}} \tag{7.0.4-7}$$

$$\overline{\lambda}_{sc}^T = \frac{\lambda_{sc}}{\pi}\sqrt{\frac{N_0^T}{A_{sc}E_{sc}^T}} \tag{7.0.4-8}$$

式中：N_u^T——t 时刻特殊钢管混凝土构件的稳定承载力；

N_0^T——t 时刻特殊钢管混凝土构件的强度承载力；

φ_T——t 时刻特殊钢管混凝土构件高温下的稳定系数；

$\overline{\lambda}_{sc}^T$——$t$ 时刻高温下的正则长细比；

λ_{sc}——构件的长细比；

A_{sc}——钢管和内部素混凝土截面积之和，不包括内配非约束加劲件纵向钢筋、开口型钢的面积(mm^2)；

E_{sc}^T——t 时刻特殊钢管混凝土构件的弹性模量；

E_s^T、E_b^T——t 时刻高温下钢管与内配加劲件的弹性模量，按本规程公式(7.0.2-2)计算，其中温度按本规程第 7.0.3 条计算；

$\overline{E}_c^T$——t 时刻高温下混凝土的平均弹性模量；

$\overline{T}_c$——混凝土的平均温度，按本规程第 7.0.3 条计算。

7.0.5 火灾下构件防火设计应符合下列规定：

1 火灾下构件的承载力应满足下式要求：

$$N^T \leqslant N_u^T \tag{7.0.5-1}$$

式中：N^T——火灾下作用于构件的压力设计值；

N_u^T——火灾下构件的稳定承载力设计值，按本规程公式(7.0.4-4)计算。

2 火灾下构件耐火时间的计算应符合下列规定：

当已知构件火灾下的外荷载 N^T，令 $N^T=N_u^T$；当已知构件火灾下的荷载比 n_f，令 $N^T=n_f N_u$，N_u 按本规程公式(6.1.2-1)计算。采用迭代或试算法，可以得到没有保护层时构件的耐火时间。

对于内填素混凝土的特殊钢管混凝土构件，也可按现行国家标准《钢管混凝土结构技术规范》GB 50936 的有关规定选取；对于内配单层钢筋和单层钢管的特殊钢管混凝土构件，也可按本规程附录 C 第 C.0.1、C.0.4 和 C.0.7 条中的表格选取。

3 构件保护层厚度应按下列公式计算

当防火材料为非膨胀型涂料时，保护层厚度可按下式计算：

$$d=16.4\times\lambda\left(\frac{t_e}{t_{sc}}-1\right),\quad t<t_e \tag{7.0.5-2}$$

当防火材料为钢丝网抹 M5 普通水泥砂浆时，厚度可按下式计算：

$$d=8.0\left(\frac{t_e}{t_{sc}}-1\right),\quad t<t_e \tag{7.0.5-3}$$

式中：d——保护层厚度(mm)；

λ——保护层的导热系数[W/(m℃)]；

t_{sc}——没有保护层时，构件的耐火时间(min)；

t_e——涂保护层后希望达到的耐火时间(min)。

对于内填素混凝土的特殊钢管混凝土构件，也可按现行国家标准《钢管混凝土结构技术规范》GB 50936 中的有关规定选取；对于内配单层钢筋和单层钢管的特殊钢管混凝土构件，也可按本规程附录 C 第 C.0.2、C.0.3、C.0.5、C.0.6、C.0.8 和 C.0.9 条中的表格选取。

7.0.6 每个楼层的柱钢管壁均应设置直径不小于 12mm 的排气孔，其位置宜位于柱与楼板相交位置上方及下方 100mm 处，并沿柱身反对称布设。

附录 A　特殊钢管混凝土本构关系

A.0.1　静力下本构关系应符合下列规定：

1　普通混凝土本构关系按《混凝土结构设计规范》GB 50010 的规定执行。

2　高强混凝土本构关系（图 A.0.1-1）应按下列公式计算：

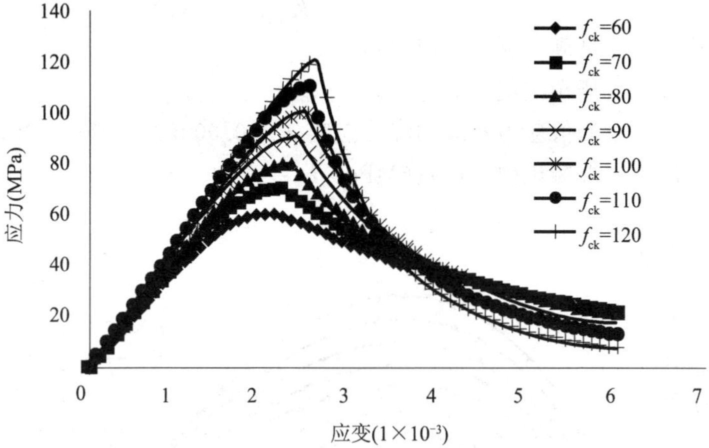

图 A.0.1-1　高强混凝土本构模型

$$\sigma = f_c\left[\frac{\beta(\varepsilon/\varepsilon_0)}{\beta-1+(\varepsilon/\varepsilon_0)^2}\right] \tag{A.0.1-1}$$

$$\sigma = f_c\left[\frac{k_1\beta(\varepsilon/\varepsilon_0)}{k_1\beta-1+(\varepsilon/\varepsilon_0)^{k_2\beta}}\right], \varepsilon > \varepsilon_0 \tag{A.0.1-2}$$

式中：σ——高强混凝土的应力；

f_c——峰值轴心抗压强度（MPa）；

k_1——系数，$k_1=(50/f_c)^3$；

k_2——系数，$k_2=(50/f_c)^{1.3}$；

β——系数，$\beta=\dfrac{1}{1-f_c/(\varepsilon_0 E_c)}$；

ε——高强混凝土的应变；

ε_0——峰值应力对应的峰值应变，$\varepsilon_0=0.00078(f_c)^{1/4}$。

3 珊瑚混凝土本构关系(图 A.0.1-2)应按下列公式计算：

$$\frac{\sigma}{f_c}=\frac{\left[k\dfrac{\varepsilon}{\varepsilon_c}-\left(\dfrac{\varepsilon}{\varepsilon_c}\right)^2\right]}{\left[1+(k-2)\dfrac{\varepsilon}{\varepsilon_c}\right]} \tag{A.0.1-3}$$

$$k=1.05\frac{E_c\varepsilon_c}{f_c} \tag{A.0.1-4}$$

式中：σ——珊瑚混凝土的应力；

ε——珊瑚混凝土的应变；

ε_c——峰值应力对应的峰值应变，$\varepsilon_c=0.0007f_c^{0.31}<0.0028$；

E_c——混凝土弹性模量(MPa)，$E_c=22(f_c/10)^{0.3}$。

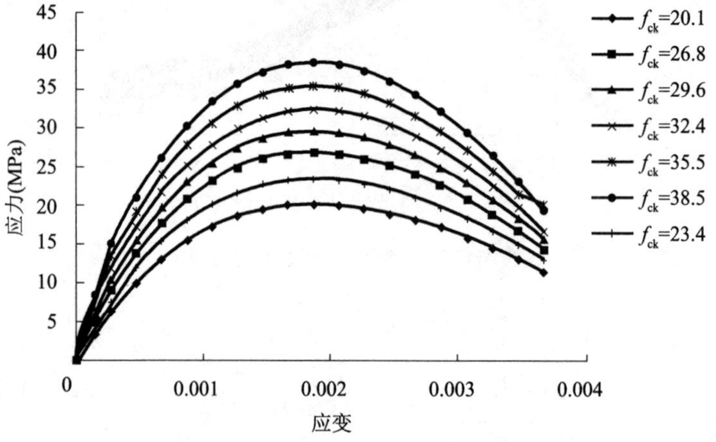

图 A.0.1-2 珊瑚混凝土本构模型

A.0.2 火灾下本构关系应符合下列规定：

1 钢材、普通及高强混凝土本构关系按现行国家标准《钢管混凝土结构技术规范》GB 50936 的规定执行。

2 轻骨料混凝土的热工参数应符合下列规定：

1）密度：$\rho_c = 1600\text{kg/m}^3 \sim 2000\text{kg/m}^3$

2）导热系数：

$$k_c = \begin{cases} 1.0 - T/1600 & 20℃ \leqslant T \leqslant 800℃ \\ 0.5 & 800℃ < T \leqslant 1200℃ \end{cases} \quad \text{(A.0.2-1)}$$

式中：k_c——轻骨料混凝土导热系数[W/(m·℃)]。

3）混凝土的比热：

$$c_c = 840 \quad \text{(A.0.2-2)}$$

式中：c_c——轻骨料混凝土的比热[J/(kg·℃)]。

4）混凝土的热膨胀系数：

$$\alpha_c = (8T - 160) \times 10^{-6} \quad \text{(A.0.2-3)}$$

式中：α_c——轻骨料混凝土的热膨胀系数[m/(m·℃)]。

3 高温下抗压强度设计值按下式计算：

$$f_c^T = f_c \times \begin{cases} 1.0 & 20℃ \leqslant T \leqslant 300℃ \\ 1 - \dfrac{T - 300}{833} & 300℃ < T \leqslant 1133℃ \end{cases} \quad \text{(A.0.2-4)}$$

式中：f_c——常温下的混凝土抗压强度设计值；

T——混凝土的温度。

4 高温下弹性模量按下式计算：

$$E_c^T = E_c\left(1 - \frac{T - 20}{980}\right), 20℃ \leqslant T \leqslant 1000℃ \quad \text{(A.0.2-5)}$$

式中：E_c——常温下的混凝土弹性模量；

T——混凝土的温度。

A.0.3 钢材纤维本构模型可采用 Menegotto-Pinto 边界面模型（图 A.0.3-1），可考虑钢材等向强化，同时可考虑滞回加载过程中的包辛格效应。

1 滞回过程中的应力应变关系应符合下列公式要求：

$$\sigma^{*} = b\varepsilon^{*} + \frac{(1-b)\varepsilon^{*}}{(1+\varepsilon^{*R})^{1/R}} \tag{A.0.3-1}$$

$$\sigma^{*} = \frac{\sigma - \sigma_r}{\sigma_0 - \sigma_r} \tag{A.0.3-2}$$

$$\varepsilon^{*} = \frac{\varepsilon - \varepsilon_r}{\varepsilon_0 - \varepsilon_r} \tag{A.0.3-3}$$

$$R(\xi) = R_0 - \frac{a_1\xi}{a_2 + \xi} \tag{A.0.3-4}$$

式中：ξ——本次曲线转折点和上次曲线的最受压（或受拉）点的水平距离。

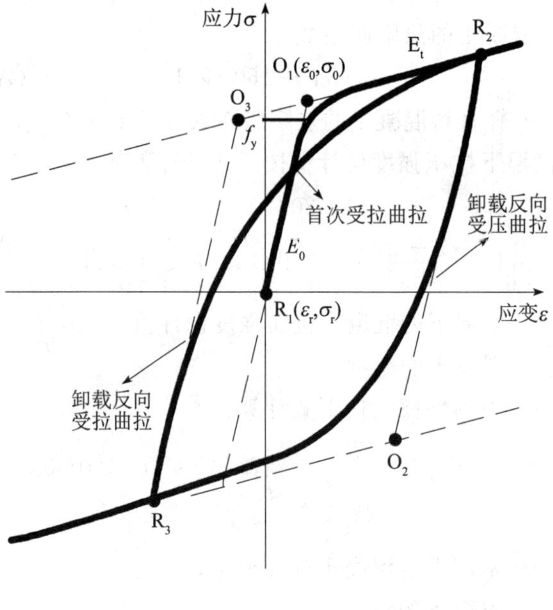

图 A.0.3-1 钢材单轴滞回本构模型

2 强化准则：

当强化准则为受压等向强化准则时，应符合下列公式要求：

$$f_{stc} = k_c f_y \tag{A.0.3-5}$$

$$k_c = 1.0 + A_1\left[\frac{(\varepsilon_{max} - \varepsilon_{min})E_0}{2A_2 f_y}\right]^{0.8} \quad (A.0.3\text{-}6)$$

式中：f_{stc}——受压屈服应力；

k_c——受压屈服应力修正系数；

ε_{max}——历史最大应变值；

ε_{min}——历史最小应变值。

当强化准则为受拉等向强化准则时，应符合下列公式要求：

$$f_{stt} = k_t f_y \quad (A.0.3\text{-}7)$$

$$k_t = 1.0 + A_3\left[\frac{(\varepsilon_{max} - \varepsilon_{min})E_0}{2A_4 f_y}\right]^{0.8} \quad (A.0.3\text{-}8)$$

式中：f_{stt}——受拉屈服应力；

k_t——受拉屈服应力修正系数。

A.0.4 混凝土纤维本构模型可采用修正的 Kent-Park 模型。

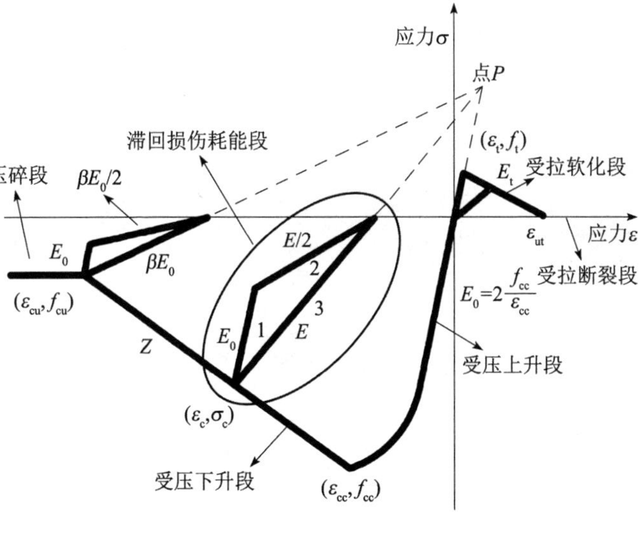

图 A.0.3-2 混凝土纤维梁单元单轴滞回本构模型

本构模型包络曲线公式应按下列公式计算：

受拉时：$\begin{cases} \varepsilon \geqslant \varepsilon_{ut} & \sigma_c = 0 \\ \varepsilon_{0t} \leqslant \varepsilon \leqslant \varepsilon_{ut} & \sigma_c = -E_t(\varepsilon - \varepsilon_{ut}) \\ 0 \leqslant \varepsilon \leqslant \varepsilon_{0t} & \sigma_c = E_0\varepsilon \end{cases}$

(A. 0. 4-1)

受压时，$\begin{cases} \varepsilon_0 \leqslant \varepsilon \leqslant 0 & \sigma_c = f_c\left[2\left(\frac{\varepsilon}{\varepsilon_0}\right) - \left(\frac{\varepsilon}{\varepsilon_0}\right)^2\right] \\ \varepsilon_u \leqslant \varepsilon \leqslant \varepsilon_0 & \sigma_c = \frac{f_c - f_u}{\varepsilon_0 - \varepsilon_u}(\varepsilon - \varepsilon_0) + f_c \\ \varepsilon \geqslant \varepsilon_u & \sigma_c = f_u \end{cases}$

(A. 0. 4-2)

材料的初始弹性模量 $E_0 = \frac{2f_c}{\varepsilon_0}$，**受拉峰值应变** $\varepsilon_{0t} = \frac{f_t}{2f_c}\varepsilon_0$，**受拉极限应变为** $\varepsilon_{ut} = \frac{f_t}{E_t} + \frac{f_t}{2f_c}\varepsilon_0$。

附录B　特殊钢管混凝土构件抗压强度设计值

B.0.1　圆形钢管高强混凝土构件的抗压强度设计值应按表B.0.1取值。

表B.0.1　钢管高强混凝土抗压强度设计值

钢材	混凝土	含钢率								
		α=0.04	0.06	0.08	0.10	0.12	0.14	0.16	0.18	0.20
Q235	55	69.2	70.4	71.6	72.8	74.0	75.2	76.4	77.6	78.7
	60	75.5	76.8	78.1	79.5	80.8	82.0	83.3	84.6	85.8
	65	81.7	83.2	84.6	86.1	87.5	88.9	90.2	91.6	92.9
	70	88.0	89.6	91.1	92.7	94.2	95.7	97.1	98.6	100.0
	75	94.3	96.0	97.6	99.3	100.9	102.4	104.0	105.6	107.1
	80	100.6	102.4	104.1	105.9	107.6	109.2	110.9	112.5	114.1
	85	106.9	108.8	110.6	112.4	114.2	116.0	117.8	119.5	121.2
	90	113.2	115.1	117.1	119.0	120.9	122.8	124.6	126.4	128.2
	95	119.4	121.5	123.6	125.6	127.6	129.6	131.5	133.4	135.2
	100	125.7	127.9	130.1	132.2	134.3	136.3	138.3	140.3	142.2
	105	132.0	134.3	136.6	138.8	141.0	143.1	145.2	147.2	149.2
	110	138.3	140.7	143.1	145.4	147.6	149.9	152.0	154.2	156.2
	115	144.6	147.1	149.5	152.0	154.3	156.6	158.9	161.1	163.2
	120	150.8	153.5	156.0	158.5	161.0	163.4	165.7	168.0	170.2
Q345	55	69.3	70.7	72.0	73.3	74.6	75.9	77.1	78.4	79.7
	60	75.7	77.1	78.5	79.9	81.3	82.7	84.1	85.5	86.8
	65	82.0	83.5	85.1	86.6	88.1	89.6	91.1	92.6	94.0
	70	88.3	89.9	91.6	93.2	94.9	96.5	98.0	99.6	101.2
	75	94.6	96.3	98.1	99.9	101.6	103.3	105.0	106.7	108.3

续表 B.0.1

钢材	混凝土	含钢率								
		α=0.04	0.06	0.08	0.10	0.12	0.14	0.16	0.18	0.20
Q345	80	100.9	102.8	104.6	106.5	108.3	110.2	111.9	113.7	115.4
	85	107.2	109.2	111.2	113.1	115.1	117.0	118.9	120.7	122.6
	90	113.5	115.6	117.7	119.8	121.8	123.8	125.8	127.8	129.7
	95	119.8	122.0	124.2	126.4	128.6	130.7	132.7	134.8	136.8
	100	126.1	128.4	130.7	133.0	135.3	137.5	139.7	141.8	143.9
	105	132.3	134.8	137.3	139.7	142.0	144.3	146.6	148.8	151.0
	110	138.6	141.2	143.8	146.3	148.7	151.1	153.5	155.8	158.1
	115	144.9	147.6	150.3	152.9	155.4	157.9	160.4	162.8	165.1
	120	151.2	154.1	156.8	159.5	162.2	164.7	167.3	169.8	172.2
Q390	55	69.4	70.8	72.1	73.5	74.8	76.1	77.4	78.7	80.0
	60	75.7	77.2	78.7	80.1	81.6	83.0	84.4	85.8	87.2
	65	82.0	83.6	85.2	86.8	88.4	89.9	91.4	92.9	94.4
	70	88.3	90.1	91.8	93.5	95.1	96.8	98.4	100.0	101.6
	75	94.7	96.5	98.3	100.1	101.9	103.7	105.4	107.1	108.8
	80	101.0	102.9	104.9	106.8	108.7	110.5	112.4	114.2	116.0
	85	107.3	109.4	111.4	113.4	115.4	117.4	119.3	121.3	123.1
	90	113.6	115.8	117.9	120.1	122.2	124.3	126.3	128.3	130.3
	95	119.9	122.2	124.5	126.7	128.9	131.1	133.3	135.4	137.4
	100	126.2	128.6	131.0	133.4	135.7	138.0	140.2	142.4	144.6
	105	132.5	135.0	137.5	140.0	142.4	144.8	147.1	149.4	151.7
	110	138.8	141.5	144.1	146.7	149.2	151.7	154.1	156.5	158.8
	115	145.1	147.9	150.6	153.3	155.9	158.5	161.0	163.5	165.9
	120	151.4	154.3	157.1	159.9	162.6	165.3	167.9	170.5	173.0
Q420	55	69.5	70.9	72.2	73.6	75.0	76.3	77.6	79.0	80.3
	60	75.8	77.3	78.8	80.3	81.8	83.2	84.7	86.1	87.5

续表 B.0.1

钢材	混凝土	含钢率								
		α=0.04	0.06	0.08	0.10	0.12	0.14	0.16	0.18	0.20
Q420	65	82.1	83.7	85.4	87.0	88.5	90.1	91.7	93.2	94.7
	70	88.4	90.2	91.9	93.6	95.3	97.0	98.7	100.3	101.9
	75	94.7	96.6	98.5	100.3	102.1	103.9	105.7	107.4	109.2
	80	101.0	103.0	105.0	107.0	108.9	110.8	112.7	114.5	116.3
	85	107.3	109.5	111.6	113.6	115.7	117.7	119.6	121.6	123.5
	90	113.7	115.9	118.1	120.3	122.4	124.5	126.6	128.7	130.7
	95	120.0	122.3	124.7	126.9	129.2	131.4	133.6	135.7	137.9
	100	126.3	128.8	131.2	133.6	136.0	138.3	140.6	142.8	145.0
	105	132.6	135.2	137.7	140.2	142.7	145.1	147.5	149.9	152.2
	110	138.9	141.6	144.3	146.9	149.5	152.0	154.5	156.9	159.3
	115	145.2	148.0	150.8	153.5	156.2	158.8	161.4	163.9	166.4
	120	151.5	154.5	157.4	160.2	163.0	165.7	168.4	171.0	173.5

注:第一二三组钢材均取同一值。

B.0.2 内配单层螺旋箍筋的实心圆形钢管混凝土构件截面抗压强度设计值应按表 B.0.2-1 至表 B.0.2-6 取值。

表 B.0.2-1 配箍率 ρ_v 为 0.4%时,配箍钢管混凝土抗压强度设计值 f_{sc}(N/mm²)

钢材	混凝土	含钢率								
		α=0.04	0.06	0.08	0.10	0.12	0.14	0.16	0.18	0.20
Q235	C30	28.0	32.4	36.6	40.6	44.4	48.1	51.6	54.9	58.0
	C40	33.7	38.1	42.2	46.1	49.9	53.4	56.7	59.8	62.7
	C50	39.5	43.8	47.9	51.8	55.4	58.9	62.1	65.1	67.9
	C60	46.0	50.3	54.3	58.2	61.8	65.1	68.3	71.3	74.0
	C70	52.0	56.3	60.3	64.1	67.7	71.1	74.2	77.1	79.7
	C80	58.9	63.2	67.2	71.0	74.5	77.9	80.9	83.8	86.4

续表 B.0.2-1

钢材	混凝土	含钢率								
		α=0.04	0.06	0.08	0.10	0.12	0.14	0.16	0.18	0.20
Q345	C30	33.3	39.9	46.2	52.1	57.6	62.6	67.3	71.6	75.4
	C40	39.0	45.5	51.6	57.3	62.5	67.3	71.7	75.6	79.1
	C50	44.7	51.2	57.2	62.8	67.9	72.5	76.6	80.3	83.5
	C60	51.2	57.6	63.6	69.0	74.0	78.5	82.5	86.0	89.1
	C70	57.2	63.6	69.5	74.9	79.8	84.2	88.2	91.6	94.5
	C80	64.1	70.5	76.3	81.7	86.6	90.9	94.8	98.1	100.9
Q390	C30	35.6	43.2	50.3	56.9	63.0	68.6	73.7	78.3	82.3
	C40	41.2	48.7	55.7	62.0	67.8	73.0	77.7	81.8	85.4
	C50	47.0	54.4	61.2	67.4	73.0	78.0	82.4	86.3	89.5
	C60	53.4	60.7	67.5	73.6	79.0	83.9	88.1	91.7	94.7
	C70	59.4	66.7	73.4	79.4	84.8	89.6	93.7	97.2	100.0
	C80	66.3	73.6	80.2	86.2	91.5	96.2	100.2	103.5	106.3
Q420	C30	37.1	45.4	53.1	60.2	66.7	72.7	78.0	82.7	86.9
	C40	42.8	50.9	58.4	65.2	71.3	76.9	81.7	85.9	89.4
	C50	48.5	56.5	63.9	70.5	76.4	81.7	86.3	90.1	93.3
	C60	54.9	62.9	70.1	76.6	82.4	87.5	91.8	95.5	98.4
	C70	61.0	68.9	76.0	82.4	88.1	93.1	97.3	100.8	103.5
	C80	67.9	75.7	82.8	89.2	94.8	99.6	103.7	107.1	109.7

注：ρ_v 为配箍率，按公式 $\rho_v=\frac{A_{ssol}}{A_c}$ 进行计算；箍筋强度按 HPB300 进行计算。

表 B.0.2-2 配箍率 ρ_v 为 0.8%时，配箍钢管混凝土抗压强度设计值 f_{sc} (N/mm²)

钢材	混凝土	含钢率								
		α=0.04	0.06	0.08	0.10	0.12	0.14	0.16	0.18	0.20
Q235	C30	29.1	33.5	37.6	41.6	45.4	49.0	52.4	55.7	58.7
	C40	34.9	39.2	43.2	47.1	50.8	54.3	57.5	60.6	63.5
	C50	40.6	44.9	48.9	52.7	56.3	59.7	62.9	65.9	68.6
	C60	47.1	51.3	55.3	59.1	62.7	66.0	69.1	72.0	74.6
	C70	53.1	57.3	61.3	65.1	68.6	71.9	74.9	77.8	80.4
	C80	60.0	64.2	68.2	71.9	75.4	78.7	81.7	84.5	87.0
Q345	C30	34.5	41.1	47.3	53.1	58.5	63.5	68.1	72.3	76.1
	C40	40.1	46.6	52.7	58.3	63.4	68.1	72.4	76.2	79.6
	C50	45.9	52.3	58.2	63.7	68.7	73.2	77.3	80.9	84.1
	C60	52.3	58.7	64.5	69.9	74.8	79.2	83.2	86.6	89.6
	C70	58.3	64.7	70.5	75.8	80.6	85.0	88.8	92.1	95.0
	C80	65.2	71.5	77.3	82.6	87.4	91.6	95.4	98.6	101.3
Q390	C30	36.8	44.3	51.4	57.9	63.9	69.4	74.4	78.9	82.9
	C40	42.4	49.8	56.7	62.9	68.6	73.8	78.4	82.4	85.8
	C50	48.1	55.5	62.2	68.3	73.8	78.7	83.1	86.8	89.9
	C60	54.6	61.8	68.4	74.4	79.8	84.6	88.7	92.2	95.2
	C70	60.6	67.8	74.4	80.3	85.6	90.2	94.3	97.6	100.4
	C80	67.5	74.6	81.2	87.0	92.2	96.8	100.7	104.0	106.6
Q420	C30	38.4	46.6	54.2	61.2	67.6	73.4	78.7	83.3	87.4
	C40	44.0	52.0	59.4	66.1	72.2	77.6	82.3	86.4	89.9
	C50	49.7	57.6	64.9	71.4	77.2	82.4	86.8	90.6	93.7
	C60	56.1	64.0	71.1	77.5	83.2	88.1	92.4	95.9	98.7
	C70	62.1	69.9	77.0	83.3	88.9	93.7	97.8	101.2	103.8
	C80	69.0	76.8	83.8	90.0	95.5	100.3	104.2	107.5	110.0

注：ρ_v 为配箍率，按公式 $\rho_v=\frac{A_{ssol}}{A_c}$ 进行计算；箍筋强度按 HPB300 进行计算。

表 B.0.2-3 配箍率 ρ_v 为 1.5%时，配箍钢管混凝土抗压强度设计值 f_{sc} (N/mm²)

钢材	混凝土	含钢率								
		α=0.04	0.06	0.08	0.10	0.12	0.14	0.16	0.18	0.20
Q235	C30	31.1	35.4	39.4	43.3	47.0	50.6	53.9	57.1	60.0
	C40	36.8	41.0	45.0	48.8	52.4	55.7	58.9	61.9	64.7
	C50	42.6	46.7	50.7	54.4	57.9	61.2	64.3	67.1	69.8
	C60	49.0	53.1	57.0	60.7	64.2	67.4	70.4	73.2	75.7
	C70	55.1	59.2	63.0	66.7	70.1	73.3	76.2	79.0	81.5
	C80	62.0	66.0	69.9	73.5	76.9	80.1	83.0	85.7	88.1
Q345	C30	36.5	43.0	49.1	54.7	60.0	64.9	69.4	73.5	77.2
	C40	42.2	48.5	54.4	59.9	64.9	69.5	73.6	77.3	80.6
	C50	47.9	54.1	59.9	65.3	70.1	74.5	78.5	81.9	84.9
	C60	54.3	60.5	66.2	71.5	76.2	80.5	84.3	87.5	90.4
	C70	60.3	66.5	72.2	77.3	82.0	86.2	89.9	93.0	95.7
	C80	67.2	73.3	79.0	84.1	88.7	92.8	96.4	99.5	102.1
Q390	C30	38.9	46.3	53.2	59.6	65.5	70.8	75.7	80.1	83.9
	C40	44.5	51.7	58.4	64.5	70.1	75.1	79.5	83.4	86.7
	C50	50.2	57.3	63.9	69.8	75.2	80.0	84.1	87.7	90.7
	C60	56.6	63.7	70.1	76.0	81.2	85.8	89.7	93.1	95.8
	C70	62.6	69.6	76.0	81.8	86.9	91.4	95.2	98.4	101.0
	C80	69.5	76.5	82.8	88.5	93.5	97.9	101.7	104.8	107.2
Q420	C30	40.5	48.5	56.0	62.9	69.1	74.8	79.9	84.4	88.3
	C40	46.1	53.9	61.1	67.7	73.6	78.8	83.4	87.4	90.6
	C50	51.7	59.5	66.5	72.9	78.6	83.6	87.9	91.5	94.4
	C60	58.2	65.8	72.8	79.0	84.5	89.3	93.3	96.7	99.3
	C70	64.2	71.8	78.6	84.8	90.2	94.8	98.8	101.9	104.4
	C80	71.0	78.6	85.4	91.5	96.8	101.3	105.1	108.2	110.5

注：ρ_v 为配箍率，按公式 $\rho_v=\frac{A_{ss01}}{A_c}$ 进行计算；箍筋强度按 HPB300 进行计算。

表 B.0.2-4 配箍率 ρ_v 为 2.5%时，配箍钢管混凝土抗压强度设计值 f_{sc} (N/mm²)

钢材	混凝土	含钢率								
		α=0.04	0.06	0.08	0.10	0.12	0.14	0.16	0.18	0.20
Q235	C30	33.8	38.0	42.0	45.7	47.0	52.7	56.0	59.0	61.9
	C40	39.5	43.6	47.4	51.1	52.4	57.8	60.9	63.7	66.3
	C50	45.2	49.3	53.1	56.6	57.9	63.2	66.1	68.8	71.3
	C60	51.7	55.7	59.4	63.0	64.2	69.3	72.2	74.8	77.3
	C70	57.7	61.7	65.4	68.9	70.1	75.2	78.0	80.6	82.9
	C80	64.6	68.5	72.2	75.7	76.9	82.0	84.7	87.3	89.6
Q345	C30	39.4	45.7	51.6	57.1	60.0	66.9	71.2	75.1	78.6
	C40	45.0	51.1	56.8	62.1	64.9	71.3	75.3	78.8	81.8
	C50	50.7	56.7	62.3	67.4	70.1	76.3	80.0	83.3	86.1
	C60	57.1	63.1	68.6	73.6	76.2	82.2	85.7	88.8	91.4
	C70	63.1	69.0	74.5	79.4	82.0	87.8	91.3	94.3	96.7
	C80	69.9	75.9	81.3	86.2	88.7	94.4	97.8	100.7	103.0
Q390	C30	41.8	49.0	55.7	61.9	65.5	72.8	77.4	81.6	85.2
	C40	47.3	54.4	60.8	66.7	70.1	76.9	81.1	84.7	87.8
	C50	53.0	59.9	66.2	72.0	75.2	81.6	85.6	88.9	91.6
	C60	59.4	66.2	72.4	78.0	81.2	87.4	91.1	94.2	96.7
	C70	65.4	72.2	78.3	83.8	86.9	92.9	96.5	99.5	101.8
	C80	72.2	79.0	85.1	90.5	93.5	99.4	102.9	105.8	108.0
Q420	C30	43.4	51.3	58.5	65.2	69.1	76.7	81.6	85.9	89.6
	C40	49.0	56.6	63.6	69.9	73.6	80.5	84.9	88.6	91.7
	C50	54.6	62.1	68.9	75.0	78.6	85.2	89.2	92.6	95.2
	C60	61.0	68.4	75.1	81.0	84.5	90.8	94.6	97.7	100.1
	C70	67.0	74.3	80.9	86.8	90.2	96.3	100.0	102.9	105.1
	C80	73.8	81.1	87.7	93.4	96.8	102.8	106.3	109.1	111.1

注：ρ_v 为配箍率，按公式 $\rho_v=\frac{A_{ssol}}{A_c}$ 进行计算；箍筋强度按 HPB300 进行计算。

表 B.0.2-5　配箍率 ρ_v 为 3.5%时，配箍钢管混凝土抗压强度设计值 f_{sc} (N/mm^2)

钢材	混凝土	含钢率								
		α=0.04	0.06	0.08	0.10	0.12	0.14	0.16	0.18	0.20
Q235	C30	36.5	40.5	44.4	48.0	51.5	54.8	57.9	60.8	63.6
	C40	42.1	46.1	49.8	53.3	56.7	59.8	62.7	65.4	67.9
	C50	47.8	51.7	55.4	58.8	62.1	65.1	67.9	70.5	72.8
	C60	54.3	58.1	61.7	65.1	68.3	71.2	73.9	76.4	78.7
	C70	60.3	64.1	67.7	71.0	74.1	77.0	79.7	82.1	84.3
	C80	67.2	70.9	74.5	77.8	80.9	83.8	86.4	88.8	90.9
Q345	C30	42.2	48.3	54.0	59.4	64.3	68.8	73.0	76.7	80.0
	C40	47.7	53.7	59.2	64.3	68.9	73.1	76.8	80.2	83.0
	C50	53.3	59.2	64.6	69.5	74.0	78.0	81.5	84.6	87.1
	C60	59.7	65.5	70.8	75.6	79.9	83.8	87.1	90.0	92.4
	C70	65.7	71.4	76.7	81.4	85.7	89.4	92.7	95.4	97.7
	C80	72.6	78.3	83.5	88.1	92.3	96.0	99.1	101.8	103.9
Q390	C30	44.6	51.6	58.1	64.1	69.6	74.6	79.1	83.1	86.5
	C40	50.1	56.9	63.2	68.9	74.0	78.5	82.5	86.0	88.8
	C50	55.7	62.4	68.5	74.0	78.9	83.2	86.9	90.0	92.5
	C60	62.1	68.7	74.7	80.0	84.8	88.9	92.4	95.3	97.5
	C70	68.1	74.6	80.5	85.8	90.4	94.4	97.8	100.5	102.6
	C80	74.9	81.4	87.2	92.4	97.0	100.9	104.1	106.7	108.7
Q420	C30	46.3	53.9	60.9	67.4	73.3	78.5	83.2	87.3	90.8
	C40	51.7	59.1	65.9	72.0	77.4	82.2	86.3	89.8	92.6
	C50	57.4	64.6	71.2	77.0	82.2	86.7	90.5	93.6	96.0
	C60	63.7	70.8	77.3	83.0	88.0	92.3	95.8	98.6	100.8
	C70	69.7	76.7	83.1	88.7	93.6	97.7	101.1	103.8	105.7
	C80	76.5	83.5	89.8	95.3	100.1	104.1	107.4	109.9	111.7

注：ρ_v 为配箍率，按公式 $\rho_v=\frac{A_{ssol}}{A_c}$ 进行计算；箍筋强度按 HPB300 进行计算。

表 B.0.2-6 配箍率 ρ_v 为 5%时，配箍钢管混凝土抗压强度设计值 f_{sc}（N/mm^2）

钢材	混凝土	含钢率								
		α=0.04	0.06	0.08	0.10	0.12	0.14	0.16	0.18	0.20
Q235	C30	40.4	44.2	47.9	51.4	54.7	57.8	60.7	63.5	66.0
	C40	45.9	49.7	53.2	56.5	59.7	62.6	65.3	67.8	70.1
	C50	51.6	55.2	58.7	61.9	65.0	67.8	70.4	72.8	74.9
	C60	57.9	61.6	65.0	68.1	71.1	73.8	76.3	78.6	80.7
	C70	63.9	67.5	70.9	74.0	76.9	79.6	82.0	84.3	86.2
	C80	70.8	74.4	77.7	80.8	83.6	86.3	88.7	90.8	92.8
Q345	C30	46.2	52.1	57.6	62.6	67.3	71.6	75.4	78.9	82.0
	C40	51.6	57.3	62.5	67.3	71.7	75.6	79.1	82.1	84.7
	C50	57.2	62.8	67.9	72.5	76.6	80.3	83.5	86.3	88.6
	C60	63.6	69.0	74.0	78.5	82.5	86.0	89.1	91.6	93.7
	C70	69.5	74.9	79.8	84.2	88.2	91.6	94.5	96.9	98.9
	C80	76.3	81.7	86.6	90.9	94.8	98.1	100.9	103.2	105.0
Q390	C30	48.7	55.5	61.7	67.4	72.6	77.3	81.4	85.1	88.3
	C40	54.1	60.6	66.5	71.9	76.7	80.9	84.6	87.7	90.2
	C50	59.7	66.0	71.8	76.9	81.5	85.4	88.8	91.6	93.7
	C60	66.0	72.2	77.8	82.8	87.2	91.0	94.1	96.6	98.5
	C70	71.9	78.1	83.6	88.5	92.8	96.4	99.4	101.8	103.5
	C80	78.7	84.8	90.3	95.1	99.3	102.8	105.7	107.9	109.5
Q420	C30	50.4	57.8	64.5	70.6	76.1	81.1	85.4	89.2	92.4
	C40	55.8	62.8	69.2	75.0	80.0	84.5	88.2	91.4	93.8
	C50	61.3	68.2	74.4	79.9	84.7	88.8	92.2	95.0	97.0
	C60	67.6	74.4	80.4	85.8	90.4	94.2	97.4	99.9	101.6
	C70	73.5	80.2	86.2	91.4	95.9	99.6	102.6	104.9	106.4
	C80	80.4	87.0	92.9	98.0	102.3	106.0	108.8	110.9	112.3

注：ρ_v 为配箍率，按公式 $\rho_v=\frac{A_{ss01}}{A_c}$ 进行计算；箍筋强度按 HPB300 进行计算。

B. 0. 3 内配单层圆钢管的实心或空心圆形钢管混凝土构件的抗压强度设计值应按表 B. 0. 3-1～表 B. 0. 3-5 取值。

表 B. 0. 3-1 内管含钢率 α_2 为 0. 04 时，实心或空心配管钢管混凝土抗压强度设计值 f_{sc} (N/mm²)

外管钢材	内管钢材	混凝土	含钢率						
			α=0. 04	0. 06	0. 08	0. 10	0. 12	0. 14	0. 16
Q235	Q345	C30	39. 4	43. 3	47. 0	50. 5	53. 9	57. 0	60. 0
		C40	44. 9	48. 7	52. 3	55. 7	58. 9	61. 9	64. 6
		C50	50. 6	54. 3	57. 8	61. 1	64. 2	67. 1	69. 7
		C60	57. 0	60. 7	64. 1	67. 4	70. 4	73. 1	75. 7
		C70	63. 0	66. 6	70. 0	73. 2	76. 2	78. 9	81. 4
		C80	69. 8	73. 5	76. 9	80. 0	82. 9	85. 6	88. 1
	Q420	C30	41. 9	45. 7	49. 3	52. 7	55. 9	58. 9	61. 8
		C40	47. 4	51. 0	54. 5	57. 8	60. 8	63. 7	66. 3
		C50	53. 0	56. 6	60. 0	63. 1	66. 1	68. 8	71. 3
		C60	59. 4	62. 9	66. 2	69. 3	72. 2	74. 8	77. 2
		C70	65. 3	68. 8	72. 1	75. 2	78. 0	80. 6	82. 9
		C80	72. 2	75. 7	78. 9	81. 9	84. 7	87. 2	89. 5
Q345	Q390	C30	46. 7	52. 6	58. 0	63. 0	67. 7	71. 9	75. 8
		C40	52. 2	57. 8	63. 0	67. 7	72. 0	75. 9	79. 3
		C50	57. 7	63. 2	68. 3	72. 9	77. 0	80. 6	83. 8
		C60	64. 0	69. 5	74. 4	78. 9	82. 8	86. 3	89. 3
		C70	70. 0	75. 4	80. 2	84. 6	88. 5	91. 9	94. 7
		C80	76. 8	82. 2	87. 0	91. 3	95. 1	98. 4	101. 1
	Q420	C30	47. 8	53. 5	58. 9	63. 9	68. 5	72. 6	76. 4
		C40	53. 2	58. 7	63. 8	68. 5	72. 7	76. 5	79. 9
		C50	58. 7	64. 1	69. 1	73. 6	77. 6	81. 2	84. 3
		C60	65. 0	70. 4	75. 2	79. 6	83. 5	86. 9	89. 8
		C70	71. 0	76. 2	81. 0	85. 3	89. 1	92. 4	95. 2
		C80	77. 8	83. 0	87. 7	92. 0	95. 7	98. 9	101. 6

续表 B.0.3-1

外管钢材	内管钢材	混凝土	含钢率						
			α=0.04	0.06	0.08	0.10	0.12	0.14	0.16
Q390	Q390	C30	49.3	55.9	62.1	67.8	73.0	77.6	81.7
		C40	54.6	61.1	67.0	72.3	77.0	81.2	84.8
		C50	60.2	66.5	72.2	77.3	81.8	85.7	89.0
		C60	66.5	72.7	78.2	83.2	87.5	91.2	94.3
		C70	72.4	78.5	84.0	88.9	93.1	96.7	99.6
		C80	79.2	85.3	90.7	95.5	99.6	103.1	105.9
	Q420	C30	50.3	56.9	63.0	68.6	73.7	78.3	82.3
		C40	55.7	62.0	67.8	73.0	77.7	81.8	85.4
		C50	61.2	67.4	73.0	78.0	82.4	86.3	89.5
		C60	67.5	73.6	79.0	83.9	88.1	91.7	94.7
		C70	73.4	79.4	84.8	89.6	93.7	97.2	100.0
		C80	80.2	86.2	91.5	96.2	100.2	103.5	106.3
Q420	Q420	C30	52.1	59.2	65.8	71.8	77.3	82.1	86.3
		C40	57.4	64.3	70.5	76.1	81.0	85.3	89.0
		C50	62.9	69.6	75.6	81.0	85.6	89.6	92.9
		C60	69.1	75.7	81.6	86.8	91.3	95.0	98.0
		C70	75.0	81.6	87.4	92.4	96.7	100.3	103.2
		C80	81.9	88.3	94.0	99.0	103.2	106.6	109.3

注：α_2 为内管含钢率，按公式 $\alpha_2=\frac{A_{s,1}}{A_c}$进行计算。

表 B.0.3-2 内管含钢率 α_2 为 0.05 时，实心或空心配管钢管混凝土抗压强度设计值 f_{sc} (N/mm^2)

外管钢材	内管钢材	混凝土	含钢率						
			α=0.04	0.06	0.08	0.10	0.12	0.14	0.16
Q235	Q345	C30	42.3	46.0	49.6	53.0	56.2	59.2	62.1
		C40	47.7	51.4	54.8	58.1	61.1	63.9	66.5
		C50	53.4	56.9	60.3	63.4	66.3	69.0	71.5
		C60	59.7	63.2	66.5	69.6	72.4	75.1	77.4
		C70	65.7	69.2	72.4	75.4	78.2	80.8	83.1
		C80	72.5	76.0	79.2	82.2	84.9	87.5	89.7
	Q420	C30	45.3	48.9	52.3	55.6	58.6	61.5	64.2
		C40	50.7	54.2	57.4	60.5	63.4	66.0	68.5
		C50	56.2	59.6	62.8	65.8	68.5	71.1	73.4
		C60	62.5	65.9	69.0	71.9	74.5	77.0	79.2
		C70	68.5	71.8	74.9	77.7	80.3	82.7	84.8
		C80	75.3	78.6	81.6	84.4	87.0	89.3	91.4
Q345	Q390	C30	50.1	55.7	60.9	65.7	70.1	74.1	77.8
		C40	55.4	60.8	65.7	70.2	74.3	77.9	81.1
		C50	60.9	66.1	70.9	75.2	79.1	82.5	85.4
		C60	67.2	72.3	77.0	81.2	84.9	88.1	90.8
		C70	73.1	78.2	82.8	86.9	90.5	93.5	96.1
		C80	79.9	84.9	89.5	93.5	97.0	100.0	102.5
	Q420	C30	51.3	56.9	62.0	66.7	71.0	75.0	78.5
		C40	56.6	61.9	66.7	71.1	75.1	78.6	81.7
		C50	62.1	67.2	71.9	76.1	79.9	83.2	86.0
		C60	68.3	73.4	77.9	82.0	85.6	88.7	91.3
		C70	74.2	79.2	83.7	87.7	91.2	94.2	96.6
		C80	81.0	86.0	90.4	94.3	97.7	100.6	103.0

续表 B.0.3-2

外管钢材	内管钢材	混凝土	含钢率						
			α=0.04	0.06	0.08	0.10	0.12	0.14	0.16
Q390	Q390	C30	52.7	59.1	65.0	70.4	75.3	79.7	83.6
		C40	57.9	64.1	69.7	74.7	79.2	83.1	86.4
		C50	63.4	69.4	74.8	79.6	83.8	87.4	90.5
		C60	69.6	75.5	80.8	85.4	89.5	92.9	95.6
		C70	75.5	81.4	86.5	91.1	95.0	98.2	100.8
		C80	82.3	88.1	93.2	97.6	101.4	104.6	107.1
	Q420	C30	53.9	60.3	66.1	71.4	76.2	80.5	84.3
		C40	59.1	65.2	70.7	75.6	80.0	83.8	87.0
		C50	64.6	70.5	75.8	80.5	84.6	88.1	91.0
		C60	70.8	76.6	81.7	86.3	90.2	93.4	96.1
		C70	76.7	82.4	87.4	91.9	95.6	98.8	101.3
		C80	83.5	89.1	94.1	98.4	102.1	105.1	107.5
Q420	Q420	C30	55.7	62.6	68.9	74.6	79.7	84.3	88.2
		C40	60.9	67.5	73.4	78.7	83.3	87.2	90.5
		C50	66.3	72.7	78.4	83.4	87.7	91.3	94.3
		C60	72.5	78.8	84.3	89.1	93.2	96.6	99.2
		C70	78.4	84.6	90.0	94.7	98.6	101.8	104.3
		C80	85.2	91.3	96.6	101.2	105.0	108.1	110.4

注：α_2 为内管含钢率，按公式 $\alpha_2=\frac{A_{s,1}}{A_c}$ 进行计算。

表 B.0.3-3 内管含钢率 α_2 为 0.06 时，实心或空心配管钢管混凝土抗压强度设计值 f_{sc} (N/mm^2)

外管钢材	内管钢材	混凝土	含钢率						
			α=0.04	0.06	0.08	0.10	0.12	0.14	0.16
Q235	Q345	C30	45.1	48.7	52.1	55.4	58.5	61.3	64.0
		C40	50.4	53.9	57.2	60.3	63.2	65.9	68.3
		C50	56.0	59.4	62.6	65.6	68.4	70.9	73.2
		C60	62.3	65.7	68.8	71.7	74.4	76.8	79.1
		C70	68.3	71.6	74.7	77.5	80.1	82.5	84.7
		C80	75.1	78.4	81.4	84.2	86.8	89.2	91.3
	Q420	C30	48.5	52.0	55.3	58.3	61.2	63.9	66.5
		C40	53.8	57.1	60.2	63.1	65.8	68.2	70.5
		C50	59.3	62.5	65.5	68.3	70.8	73.1	75.3
		C60	65.5	68.7	71.6	74.3	76.7	79.0	81.0
		C70	71.5	74.5	77.4	80.0	82.4	84.6	86.6
		C80	78.3	81.3	84.1	86.7	89.1	91.2	93.1
Q345	Q390	C30	53.3	58.7	63.7	68.3	72.5	76.2	79.6
		C40	58.5	63.6	68.3	72.6	76.4	79.8	82.7
		C50	63.9	68.9	73.4	77.5	81.1	84.2	86.8
		C60	70.1	75.0	79.4	83.3	86.7	89.7	92.1
		C70	76.0	80.8	85.1	89.0	92.3	95.1	97.4
		C80	82.8	87.6	91.8	95.5	98.7	101.5	103.7
	Q420	C30	54.7	60.0	64.9	69.4	73.5	77.2	80.4
		C40	59.9	64.9	69.5	73.6	77.3	80.6	83.4
		C50	65.3	70.1	74.5	78.5	81.9	84.9	87.4
		C60	71.5	76.2	80.5	84.3	87.5	90.4	92.7
		C70	77.3	82.0	86.2	89.9	93.0	95.7	97.9
		C80	84.1	88.7	92.8	96.4	99.5	102.1	104.2

续表 B.0.3-3

外管钢材	内管钢材	混凝土	含钢率						
			α=0.04	0.06	0.08	0.10	0.12	0.14	0.16
Q390	Q390	C30	55.9	62.1	67.8	73.0	77.6	81.7	85.4
		C40	61.1	67.0	72.3	77.0	81.2	84.8	87.9
		C50	66.5	72.2	77.3	81.8	85.7	89.0	91.7
		C60	72.7	78.2	83.2	87.5	91.2	94.3	96.8
		C70	78.5	84.0	88.9	93.1	96.7	99.6	101.9
		C80	85.3	90.7	95.5	99.6	103.1	105.9	108.1
	Q420	C30	57.4	63.5	69.0	74.1	78.6	82.6	86.1
		C40	62.5	68.2	73.4	78.0	82.1	85.6	88.5
		C50	67.8	73.4	78.4	82.7	86.5	89.7	92.3
		C60	74.0	79.4	84.2	88.4	92.0	94.9	97.3
		C70	79.9	85.2	89.9	94.0	97.4	100.2	102.4
		C80	86.6	91.9	96.5	100.5	103.8	106.4	108.5
Q420	Q420	C30	59.2	65.8	71.8	77.3	82.1	86.3	89.9
		C40	64.3	70.5	76.1	81.0	85.3	89.0	91.9
		C50	69.6	75.6	81.0	85.6	89.6	92.9	95.5
		C60	75.7	81.6	86.8	91.3	95.0	98.0	100.3
		C70	81.6	87.4	92.4	96.7	100.3	103.2	105.3
		C80	88.3	94.0	99.0	103.2	106.6	109.3	111.3

注：α_2 为内管含钢率，按公式 $\alpha_2=\frac{A_{s,1}}{A_c}$ 进行计算。

表 B.0.3-4 内管含钢率 α_2 为 0.08 时，实心或空心配管钢管混凝土抗压强度设计值 f_{sc} (N/mm²)

外管钢材	内管钢材	混凝土	含钢率						
			α=0.04	0.06	0.08	0.10	0.12	0.14	0.16
Q235	Q345	C30	50.3	53.7	56.9	59.8	62.6	65.3	67.7
		C40	55.5	58.7	61.7	64.5	67.1	69.4	71.6
		C50	61.0	64.0	66.9	69.6	72.0	74.3	76.3
		C60	67.2	70.2	73.0	75.6	77.9	80.0	81.9
		C70	73.1	76.0	78.8	81.3	83.6	85.6	87.5
		C80	79.8	82.8	85.5	87.9	90.2	92.2	93.9
	Q420	C30	54.6	57.7	60.6	63.4	66.0	68.3	70.5
		C40	59.6	62.5	65.2	67.7	70.1	72.2	74.1
		C50	64.9	67.7	70.3	72.7	74.9	76.8	78.6
		C60	71.0	73.7	76.3	78.5	80.6	82.4	84.1
		C70	76.8	79.5	82.0	84.2	86.2	87.9	89.5
		C80	83.6	86.2	88.6	90.8	92.7	94.4	95.9
Q345	Q390	C30	59.4	64.3	68.8	73.0	76.7	80.0	83.0
		C40	64.3	68.9	73.1	76.8	80.2	83.0	85.5
		C50	69.5	74.0	78.0	81.5	84.6	87.1	89.3
		C60	75.6	79.9	83.8	87.1	90.0	92.4	94.3
		C70	81.4	85.7	89.4	92.7	95.4	97.7	99.4
		C80	88.1	92.3	96.0	99.1	101.8	103.9	105.5
	Q420	C30	61.1	65.9	70.3	74.3	77.9	81.1	83.9
		C40	65.9	70.4	74.5	78.1	81.2	83.9	86.2
		C50	71.1	75.4	79.3	82.6	85.5	87.9	89.9
		C60	77.2	81.3	85.0	88.2	90.9	93.1	94.9
		C70	83.0	87.0	90.6	93.7	96.2	98.3	99.9
		C80	89.6	93.6	97.1	100.1	102.6	104.5	106.0

续表 B.0.3-4

外管钢材	内管钢材	混凝土	含钢率						
			α=0.04	0.06	0.08	0.10	0.12	0.14	0.16
Q390	Q390	C30	62.1	67.8	73.0	77.6	81.7	85.4	88.5
		C40	67.0	72.3	77.0	81.2	84.8	87.9	90.4
		C50	72.2	77.3	81.8	85.7	89.0	91.7	93.9
		C60	78.2	83.2	87.5	91.2	94.3	96.8	98.6
		C70	84.0	88.9	93.1	96.7	99.6	101.9	103.6
		C80	90.7	95.5	99.6	103.1	105.9	108.1	109.6
	Q420	C30	63.9	69.4	74.4	78.9	82.9	86.4	89.4
		C40	68.6	73.8	78.4	82.4	85.8	88.7	91.1
		C50	73.8	78.7	83.1	86.8	89.9	92.5	94.4
		C60	79.8	84.6	88.7	92.2	95.2	97.4	99.1
		C70	85.6	90.2	94.3	97.6	100.4	102.5	104.0
		C80	92.2	96.8	100.7	104.0	106.6	108.6	109.9
Q420	Q420	C30	65.8	71.8	77.3	82.1	86.3	89.9	93.0
		C40	70.5	76.1	81.0	85.3	89.0	91.9	94.3
		C50	75.6	81.0	85.6	89.6	92.9	95.5	97.4
		C60	81.6	86.8	91.3	95.0	98.0	100.3	101.9
		C70	87.4	92.4	96.7	100.3	103.2	105.3	106.6
		C80	94.0	99.0	103.2	106.6	109.3	111.3	112.5

注：α_2 为内管含钢率，按公式 $\alpha_2=\frac{A_{s,1}}{A_c}$ 进行计算。

表 B.0.3-5 内管含钢率 α_2 为 0.1 时，实心或空心配管钢管混凝土抗压强度设计值 f_{sc} (N/mm^2)

外管钢材	内管钢材	混凝土	含钢率					
			α=0.04	0.06	0.08	0.10	0.12	0.14
Q235	Q345	C30	55.2	58.3	61.2	63.9	66.4	68.8
		C40	60.1	63.0	65.7	68.2	70.5	72.6
		C50	65.4	68.2	70.8	73.1	75.2	77.2
		C60	71.6	74.2	76.7	79.0	81.0	82.8
		C70	77.4	80.0	82.4	84.6	86.5	88.3
		C80	84.1	86.7	89.0	91.2	93.0	94.7
	Q420	C30	60.1	62.8	65.4	67.9	70.1	72.2
		C40	64.7	67.2	69.6	71.8	73.7	75.5
		C50	69.8	72.2	74.4	76.4	78.2	79.8
		C60	75.8	78.1	80.2	82.1	83.7	85.2
		C70	81.5	83.7	85.8	87.6	89.2	90.5
		C80	88.1	90.3	92.3	94.1	95.6	96.9
Q345	Q390	C30	64.9	69.4	73.5	77.2	80.4	83.3
		C40	69.5	73.6	77.3	80.6	83.4	85.7
		C50	74.5	78.5	81.9	84.9	87.4	89.5
		C60	80.5	84.3	87.5	90.4	92.7	94.5
		C70	86.2	89.9	93.0	95.7	97.9	99.6
		C80	92.8	96.4	99.5	102.1	104.2	105.7
	Q420	C30	66.9	71.2	75.1	78.6	81.8	84.5
		C40	71.3	75.3	78.8	81.8	84.5	86.6
		C50	76.3	80.0	83.3	86.1	88.4	90.3
		C60	82.2	85.7	88.8	91.4	93.5	95.2
		C70	87.8	91.3	94.3	96.7	98.7	100.2
		C80	94.4	97.8	100.7	103.0	104.9	106.2

续表 B.0.3-5

外管钢材	内管钢材	混凝土	含钢率					
			α=0.04	0.06	0.08	0.10	0.12	0.14
Q390	Q390	C30	67.8	73.0	77.6	81.7	85.4	88.5
		C40	72.3	77.0	81.2	84.8	87.9	90.4
		C50	77.3	81.8	85.7	89.0	91.7	93.9
		C60	83.2	87.5	91.2	94.3	96.8	98.6
		C70	88.9	93.1	96.7	99.6	101.9	103.6
		C80	95.5	99.6	103.1	105.9	108.1	109.6
	Q420	C30	69.8	74.8	79.3	83.2	86.6	89.6
		C40	74.2	78.7	82.7	86.1	88.9	91.2
		C50	79.1	83.4	87.0	90.1	92.6	94.5
		C60	84.9	89.0	92.5	95.3	97.6	99.2
		C70	90.6	94.5	97.9	100.6	102.6	104.1
		C80	97.1	101.0	104.2	106.8	108.7	110.0
Q420	Q420	C30	71.8	77.3	82.1	86.3	89.9	93.0
		C40	76.1	81.0	85.3	89.0	91.9	94.3
		C50	81.0	85.6	89.6	92.9	95.5	97.4
		C60	86.8	91.3	95.0	98.0	100.3	101.9
		C70	92.4	96.7	100.3	103.2	105.3	106.6
		C80	99.0	103.2	106.6	109.3	111.3	112.5

注：α_2 为内管含钢率，按公式 $\alpha_2=\frac{A_{s,1}}{A_c}$ 进行计算。

附录C　特殊钢管混凝土构件耐火时间及防火保护厚度

C.0.1　钢管外壁没有保护层涂料时，内配单层螺旋箍筋圆形钢管混凝土构件的耐火时间可按表C.0.1-1和表C.0.1-2取值。

表C.0.1-1　不同荷载比下构件的耐火时间 *t*（min）（钢筋保护层厚度30mm）

外径(mm)	外管厚度(mm)	荷载比0.4						荷载比0.5						荷载比0.6						荷载比0.7						荷载比0.8					
		配筋率						配筋率						配筋率						配筋率						配筋率					
		0.00	0.006	0.02	0.03	0.04	0.05	0.00	0.006	0.02	0.03	0.04	0.05	0.00	0.006	0.02	0.03	0.04	0.05	0.00	0.006	0.02	0.03	0.04	0.05	0.00	0.006	0.02	0.03	0.04	0.05
600	5	103	120	132	138	141	144	54	65	82	90	96	101	32	37	47	55	61	67	21	23	28	31	35	39	14	15	17	19	20	22
	10	50	59	78	91	102	110	33	36	45	52	60	68	25	26	30	33	36	40	19	19	21	23	24	26	14	14	15	16	17	18
	15	41	44	53	62	72	82	31	32	36	39	43	47	24	25	27	28	30	32	19	20	21	22	23	23	15	15	16	16	17	17
	20	39	41	46	50	55	62	31	32	34	36	38	41	25	26	27	28	29	30	20	21	22	22	23	24	16	16	17	17	18	18
800	5	231	228	202	194	188	184	104	116	123	125	127	128	49	58	72	79	84	88	27	30	39	45	50	55	17	18	21	24	26	29
	10	86	104	127	137	144	149	44	51	69	81	90	98	29	32	38	44	51	58	21	22	25	27	30	33	15	16	17	18	19	20
	15	53	61	83	99	112	123	36	38	46	53	62	71	27	28	31	34	37	41	21	21	23	24	26	27	16	16	17	18	18	19
	20	45	49	60	72	85	98	34	35	40	43	48	53	27	28	30	32	33	36	22	22	23	24	25	26	17	17	18	18	19	20

1000	5	>240	>240	>240	>240	235	221	199	186	163	156	152	149	78	88	97	100	102	104	35	41	52	59	64	67	20	21	26	29	33	36
	10	168	178	180	181	181	181	63	77	100	110	117	122	35	39	51	61	69	77	24	25	29	33	37	42	16	17	19	21	22	24
	15	76	94	125	139	149	156	42	47	62	75	88	98	30	31	37	41	47	53	22	23	26	27	29	32	17	17	18	19	20	21
	20	55	62	87	107	122	135	38	40	48	55	64	74	29	30	33	36	39	42	23	23	25	26	28	29	18	18	19	20	20	21
1200	5	>240	>240	>240	>240	>240	>240	>240	>240	207	186	174	167	128	126	120	118	116	116	47	55	66	71	75	77	23	25	31	36	40	43
	10	>240	>240	>240	227	217	211	102	117	131	136	139	141	43	50	69	79	87	93	26	29	35	40	46	52	18	19	21	23	25	27
	15	127	149	170	177	181	184	52	61	86	101	112	120	33	36	44	52	61	70	24	25	28	31	34	37	17	18	20	21	22	23
	20	71	87	125	143	156	165	42	46	59	72	87	99	31	33	37	41	46	52	24	25	27	29	31	33	18	19	20	21	22	23
1400	5	>240	>240	>240	>240	>240	>240	>240	>240	>240	218	196	184	224	177	143	134	129	126	67	74	81	83	84	85	27	30	38	43	47	50
	10	>240	>240	>240	>240	>240	>240	183	175	165	162	160	159	57	69	89	97	103	107	30	33	43	50	57	64	19	20	23	26	29	31
	15	>240	238	221	216	213	211	69	86	115	127	134	140	37	42	55	66	77	87	26	27	32	35	40	45	18	19	21	23	24	26
	20	106	134	167	179	186	192	49	56	78	97	111	122	34	36	42	49	56	66	25	26	29	31	34	37	19	20	21	22	23	24
1600	5	>240	>240	>240	>240	>240	>240	>240	>240	>240	>240	221	202	>240	>240	170	153	143	137	108	103	97	95	94	94	33	37	47	51	54	57
	10	>240	>240	>240	>240	>240	>240	>240	>240	205	190	182	176	88	101	112	116	118	120	35	40	54	63	70	75	21	22	26	30	33	37
	15	>240	>240	>240	>240	>240	>240	111	130	148	153	156	159	44	51	72	85	95	103	28	30	36	41	48	55	20	20	23	25	26	29
	20	200	211	216	217	218	219	60	72	107	124	136	144	37	40	50	60	72	83	27	28	32	35	38	42	20	21	22	24	25	26
1800	5	>240	>240	>240	>240	>240	>240	>240	>240	>240	>240	>240	222	>240	>240	205	174	158	149	197	144	115	108	104	102	44	50	58	61	62	64
	10	>240	>240	>240	>240	>240	>240	>240	>240	>240	224	206	195	166	150	139	136	134	133	44	52	69	77	82	86	23	25	30	35	39	44
	15	>240	>240	>240	>240	>240	>240	224	202	186	182	180	178	55	68	95	106	113	118	31	34	42	50	59	67	21	22	25	27	29	32
	20	>240	>240	>240	>240	>240	>240	84	108	142	153	160	164	41	46	62	78	92	102	29	30	35	39	44	50	21	22	24	25	27	28

续表 C.0.1-1

外径(mm)	外管厚度(mm)	荷载比0.4 配筋率						荷载比0.5 配筋率						荷载比0.6 配筋率						荷载比0.7 配筋率						荷载比0.8 配筋率					
		0.00	0.006	0.02	0.03	0.04	0.05	0.00	0.006	0.02	0.03	0.04	0.05	0.00	0.006	0.02	0.03	0.04	0.05	0.00	0.006	0.02	0.03	0.04	0.05	0.00	0.006	0.02	0.03	0.04	0.05
2000	5	>240	>240	>240	>240	>240	>240	>240	>240	>240	>240	>240	>240	>240	>240	>240	197	174	160	>240	203	134	121	114	110	67	69	69	70	70	70
	10	>240	>240	>240	>240	>240	>240	>240	>240	>240	>240	234	216	>240	225	168	156	150	145	61	73	87	92	94	96	26	28	35	41	46	51
	15	>240	>240	>240	>240	>240	>240	>240	>240	233	214	204	198	82	102	121	127	131	133	35	39	52	63	72	80	22	23	27	30	33	36
	20	>240	>240	>240	>240	>240	>240	158	171	180	182	183	184	47	55	82	100	111	119	31	33	39	45	52	60	22	23	25	27	29	31
2200	5	>240	>240	>240	>240	>240	>240	>240	>240	>240	>240	>240	>240	>240	>240	>240	223	189	171	>240	>240	154	133	123	116	121	93	80	78	76	75
	10	>240	>240	>240	>240	>240	>240	>240	>240	>240	>240	>240	236	>240	>240	200	176	164	157	105	105	105	105	105	105	29	32	41	48	54	59
	15	>240	>240	>240	>240	>240	>240	>240	>240	>240	>240	229	217	133	153	148	147	146	146	39	45	64	77	85	91	24	25	29	33	37	41
	20	>240	>240	>240	>240	>240	>240	>240	>240	222	212	207	203	57	71	107	121	129	134	33	36	44	52	62	73	23	24	27	29	31	34
2400	5	>240	>240	>240	>240	>240	>240	>240	>240	>240	>240	>240	>240	>240	>240	>240	>240	203	181	>240	>240	173	144	130	122	223	120	90	84	81	79
	10	>240	>240	>240	>240	>240	>240	>240	>240	>240	>240	>240	>240	>240	>240	236	196	178	167	217	145	121	116	114	112	32	37	49	56	61	65
	15	>240	>240	>240	>240	>240	>240	>240	>240	>240	>240	>240	235	>240	222	174	165	160	157	46	55	79	90	96	100	25	27	32	36	42	47
	20	>240	>240	>240	>240	>240	>240	>240	>240	>240	>240	229	221	75	101	132	140	144	147	35	39	50	62	74	85	24	25	28	31	33	37
2600	5	>240	>240	>240	>240	>240	>240	>240	>240	>240	>240	>240	>240	>240	>240	>240	>240	216	189	>240	>240	191	153	136	126	>240	149	98	90	85	82
	10	>240	>240	>240	>240	>240	>240	>240	>240	>240	>240	>240	>240	>240	>240	>240	214	189	176	>240	193	136	126	121	118	37	43	57	63	67	70
	15	>240	>240	>240	>240	>240	>240	>240	>240	>240	>240	>240	>240	>240	>240	200	181	172	166	55	70	95	102	106	108	27	29	35	41	47	53
	20	>240	>240	>240	>240	>240	>240	>240	>240	>240	>240	>240	237	130	147	155	157	157	158	38	43	59	74	86	95	25	26	30	33	36	40

注：1　荷载比为荷载设计值与构件承载力设计值的比值；

2　钢筋保护层指钢管内表面和钢筋外表面之间的距离。

表 C.0.1-2　不同荷载比下构件的耐火时间 t（min）（钢筋保护层厚度 50mm）

外径(mm)	外管厚度(mm)	荷载比0.4 配筋率						荷载比0.5 配筋率						荷载比0.6 配筋率						荷载比0.7 配筋率						荷载比0.8 配筋率					
		0.00	0.006	0.02	0.03	0.04	0.05	0.00	0.006	0.02	0.03	0.04	0.05	0.00	0.006	0.02	0.03	0.04	0.05	0.00	0.006	0.02	0.03	0.04	0.05	0.00	0.006	0.02	0.03	0.04	0.05
600	5	103	130	162	177	188	197	54	68	97	113	125	136	32	37	51	63	74	85	21	23	28	33	38	44	14	15	17	19	21	23
	10	50	60	87	110	129	145	33	37	46	55	67	81	25	26	30	33	37	41	19	19	21	23	24	26	14	14	15	16	17	18
	15	41	44	54	65	80	98	31	32	36	40	44	49	24	25	27	29	30	32	19	20	21	22	23	24	15	15	16	16	17	17
	20	39	41	46	51	57	65	31	32	34	36	38	41	25	26	27	28	29	30	20	21	22	22	23	24	16	16	17	17	18	18
800	5	231	＞240	＞240	＞240	＞240	＞240	104	129	155	166	174	179	49	61	86	101	112	120	27	31	41	50	60	69	17	18	22	24	27	31
	10	86	113	158	180	196	207	44	52	77	98	116	131	29	32	39	46	56	68	21	22	25	28	30	34	15	16	17	18	19	21
	15	53	61	93	121	146	166	36	38	47	55	68	83	27	28	31	34	38	42	21	21	23	24	26	27	16	16	17	18	18	19
	20	45	49	62	76	98	122	34	35	40	44	49	55	27	28	30	32	34	36	22	22	23	24	25	26	17	17	18	18	19	20
1000	5	＞240	＞240	＞240	＞240	＞240	＞240	199	213	213	214	214	214	78	98	124	134	141	147	35	42	60	72	83	91	20	22	26	31	36	41
	10	168	204	235	＞240	＞240	＞240	63	81	124	145	160	171	35	39	55	70	87	101	24	25	30	34	39	45	16	17	19	21	22	24
	15	76	99	157	185	206	221	42	47	66	87	110	130	30	32	37	42	49	58	22	23	26	28	30	32	17	17	18	19	20	21
	20	55	63	97	131	162	185	38	40	48	56	68	85	29	30	33	36	39	43	23	23	25	26	28	29	18	18	19	20	20	21
1200	5	＞240	＞240	＞240	＞240	＞240	＞240	＞240	＞240	＞240	＞240	＞240	＞240	128	147	159	163	165	167	47	58	82	94	102	108	23	25	33	39	46	53
	10	＞240	＞240	＞240	＞240	＞240	＞240	102	133	173	187	197	204	43	51	80	101	117	129	26	29	36	43	52	62	18	19	21	23	25	28

续表 C.0.1-2

外径 (mm)	外管厚度 (mm)	荷载比 0.4						荷载比 0.5						荷载比 0.6						荷载比 0.7						荷载比 0.8					
		配筋率						配筋率						配筋率						配筋率						配筋率					
		0.00	0.006	0.02	0.03	0.04	0.05	0.00	0.006	0.02	0.03	0.04	0.05	0.00	0.006	0.02	0.03	0.04	0.05	0.00	0.006	0.02	0.03	0.04	0.05	0.00	0.006	0.02	0.03	0.04	0.05
1200	15	127	170	225	>240	>240	>240	52	62	101	131	153	170	33	36	45	55	69	86	24	25	28	31	35	38	17	18	20	21	22	23
	20	71	91	156	193	218	236	42	46	61	80	106	131	31	33	37	42	47	54	24	25	27	29	31	33	18	19	20	21	22	23
1400	5	>240	>240	>240	>240	>240	>240	>240	>240	>240	>240	>240	>240	224	211	194	189	187	185	67	83	105	114	119	123	27	30	41	50	59	66
	10	>240	>240	>240	>240	>240	>240	183	208	223	228	230	232	57	73	113	132	144	153	30	33	45	57	70	83	19	20	24	26	29	33
	15	>240	>240	>240	>240	>240	>240	69	91	148	174	191	203	37	42	58	77	98	117	26	27	32	36	41	48	18	19	21	23	24	26
	20	106	150	223	>240	>240	>240	49	56	87	121	150	172	34	36	43	50	60	74	25	26	29	32	34	37	19	20	21	22	23	24
1600	5	>240	>240	>240	>240	>240	>240	>240	>240	>240	>240	>240	>240	>240	>240	234	217	208	202	108	121	131	134	136	137	33	39	55	65	73	79
	10	>240	>240	>240	>240	>240	>240	>240	>240	>240	>240	>240	>240	88	115	150	162	170	175	35	41	60	78	93	104	21	23	27	30	35	40
	15	>240	>240	>240	>240	>240	>240	111	150	200	216	226	233	44	52	83	110	131	146	28	30	37	43	52	63	20	20	23	25	27	29
	20	200	>240	>240	>240	>240	>240	60	74	133	168	192	208	37	40	51	64	84	107	27	28	32	35	39	43	20	21	22	24	25	26
1800	5	>240	>240	>240	>240	>240	>240	>240	>240	>240	>240	>240	>240	>240	>240	>240	>240	231	221	197	176	159	155	152	151	44	54	74	82	87	91
	10	>240	>240	>240	>240	>240	>240	>240	>240	>240	>240	>240	>240	166	181	191	194	195	196	44	54	86	104	116	124	23	25	31	36	43	52
	15	>240	>240	>240	>240	>240	>240	224	>240	>240	>240	>240	>240	55	71	122	146	162	172	31	34	44	55	70	87	21	22	25	27	30	33
	20	>240	>240	>240	>240	>240	>240	84	120	190	215	231	>240	41	46	66	93	121	143	29	30	35	39	45	53	21	22	24	25	27	29

2000	5	>240	>240	>240	>240	>240	>240	>240	>240	>240	>240	>240	>240	>240	>240	>240	>240	>240	239	>240	>240	189	176	169	164	67	81	94	99	101	103
	10	>240	>240	>240	>240	>240	>240	>240	>240	>240	>240	>240	>240	>240	>240	235	226	220	217	61	82	117	129	137	142	26	28	37	45	56	67
	15	>240	>240	>240	>240	>240	>240	>240	>240	>240	>240	>240	>240	82	117	166	182	191	197	35	39	55	75	96	112	22	23	27	30	34	38
	20	>240	>240	>240	>240	>240	>240	158	208	>240	>240	>240	>240	47	56	98	134	158	174	31	33	39	46	55	69	22	23	25	27	29	31
2200	5	>240	>240	>240	>240	>240	>240	>240	>240	>240	>240	>240	>240	>240	>240	>240	>240	>240	>240	>240	>240	220	196	184	176	121	117	114	113	113	112
	10	>240	>240	>240	>240	>240	>240	>240	>240	>240	>240	>240	>240	>240	>240	>240	>240	>240	236	105	130	148	153	155	157	29	32	45	58	71	81
	15	>240	>240	>240	>240	>240	>240	>240	>240	>240	>240	>240	>240	163	191	210	214	217	219	39	46	76	103	121	133	24	25	30	34	38	45
	20	>240	>240	>240	>240	>240	>240	>240	>240	>240	>240	>240	>240	57	74	144	173	190	201	33	36	45	55	73	95	23	24	27	29	31	34
2400	5	>240	>240	>240	>240	>240	>240	>240	>240	>240	>240	>240	>240	>240	>240	>240	>240	>240	>240	>240	>240	>240	214	197	186	223	158	131	125	122	120
	10	>240	>240	>240	>240	>240	>240	>240	>240	>240	>240	>240	>240	>240	>240	>240	>240	>240	>240	217	188	175	173	171	170	32	37	57	74	86	94
	15	>240	>240	>240	>240	>240	>240	>240	>240	>240	>240	>240	>240	>240	>240	>240	>240	>240	238	46	57	105	129	142	150	25	27	32	38	45	55
	20	>240	>240	>240	>240	>240	>240	>240	>240	>240	>240	>240	>240	75	118	188	206	216	223	35	39	52	71	98	120	24	25	28	31	34	38
2600	5	>240	>240	>240	>240	>240	>240	>240	>240	>240	>240	>240	>240	>240	>240	>240	>240	>240	>240	>240	>240	>240	230	208	194	>240	201	146	135	130	126
	10	>240	>240	>240	>240	>240	>240	>240	>240	>240	>240	>240	>240	>240	>240	>240	>240	>240	>240	>240	>240	200	190	184	181	37	45	73	89	98	104
	15	>240	>240	>240	>240	>240	>240	>240	>240	>240	>240	>240	>240	>240	>240	>240	>240	>240	>240	55	78	135	150	159	165	27	29	36	43	53	67
	20	>240	>240	>240	>240	>240	>240	>240	>240	>240	>240	>240	>240	130	194	228	235	239	>240	38	43	64	95	123	141	25	26	30	33	37	42

注：1　荷载比为荷载设计值与构件承载力设计值的比值；

2　钢筋保护层指钢管内表面和钢筋外表面之间的距离。

C.0.2 当防火材料为非膨胀型涂料时，内配单层螺旋箍筋圆形钢管混凝土构件保护层厚度可按表 C.0.2-1～表 C.0.2-4 取值。

表 C.0.2-1　耐火等级为 2.5h 时非膨胀型防火涂料厚度 *d*（mm）（钢筋保护层厚度 30mm）

外径(mm)	外管厚度(mm)	荷载比0.4						荷载比0.5						荷载比0.6						荷载比0.7						荷载比0.8					
		配筋率						配筋率						配筋率						配筋率						配筋率					
		0.00	0.006	0.02	0.03	0.04	0.05	0.00	0.006	0.02	0.03	0.04	0.05	0.00	0.006	0.02	0.03	0.04	0.05	0.00	0.006	0.02	0.03	0.04	0.05	0.00	0.006	0.02	0.03	0.04	0.05
600	5	1	0	0	0	0	0	3	2	2	1	1	1	7	6	4	3	3	2	12	11	8	7	6	5	18	17	15	13	12	11
	10	4	3	2	1	1	1	7	6	4	4	3	2	10	9	8	7	6	5	13	13	12	11	10	9	18	18	17	16	15	14
	15	5	5	3	3	2	2	7	7	6	5	5	4	10	10	9	8	8	7	13	12	12	11	11	11	17	17	16	16	15	15
	20	5	5	4	4	3	3	7	7	6	6	6	5	10	9	9	8	8	8	12	12	11	11	11	10	16	16	15	15	14	14
800	5	0	0	0	0	0	0	1	1	0	0	0	0	4	3	2	2	1	1	9	8	5	4	4	3	15	14	12	10	9	8
	10	1	1	0	0	0	0	5	4	2	2	1	1	8	7	6	5	4	3	12	11	10	9	8	7	17	16	15	14	13	12
	15	3	3	2	1	1	0	6	6	4	3	3	2	9	8	7	6	6	5	12	12	11	10	9	9	16	16	15	14	14	13
	20	4	4	3	2	1	1	6	6	5	5	4	3	9	8	8	7	7	6	11	11	11	10	10	9	15	15	14	14	13	12
1000	5	0	0	0	0	0	0	0	0	0	0	0	0	2	1	1	1	1	1	6	5	4	3	3	2	12	12	9	8	7	6
	10	0	0	0	0	0	0	3	2	1	1	1	0	6	5	4	3	2	2	10	10	8	7	6	5	16	15	13	12	11	10
	15	2	1	0	0	0	0	5	4	3	2	1	1	8	7	6	5	4	3	11	11	9	9	8	7	15	15	14	13	12	12
	20	3	3	1	1	0	0	6	5	4	3	3	2	8	8	7	6	5	5	11	11	10	9	8	8	14	14	13	12	12	12

1200	5	0	0	0	0	0	0	0	0	0	0	0	0	0	0	0	1	1	1	4	3	2	2	2	2	11	10	7	6	5	5
	10	0	0	0	0	0	0	1	1	0	0	0	0	5	4	2	2	1	1	9	8	6	5	4	4	14	13	12	11	10	9
	15	0	0	0	0	0	0	4	3	1	1	1	0	7	6	5	4	3	2	10	10	8	7	6	6	15	14	12	12	11	11
	20	2	1	0	0	0	0	5	4	3	2	1	1	7	7	6	5	4	4	10	10	9	8	7	7	14	13	12	12	11	11
1400	5	0	0	0	0	0	0	0	0	0	0	0	0	0	0	0	0	0	0	2	2	2	2	1	1	9	8	6	5	4	4
	10	0	0	0	0	0	0	0	0	0	0	0	0	3	2	1	1	1	1	8	7	5	4	3	3	13	12	11	9	8	7
	15	0	0	0	0	0	0	2	1	1	0	0	0	6	5	3	2	2	1	9	9	7	6	5	4	14	13	12	11	10	9
	20	1	0	0	0	0	0	4	3	2	1	1	0	6	6	5	4	3	2	10	9	8	7	6	6	13	12	12	11	11	10
1600	5	0	0	0	0	0	0	0	0	0	0	0	0	0	0	0	0	0	0	1	1	1	1	1	1	7	6	4	4	3	3
	10	0	0	0	0	0	0	0	0	0	0	0	0	1	1	1	1	1	0	6	5	3	3	2	2	12	11	9	8	7	6
	15	0	0	0	0	0	0	1	0	0	0	0	0	5	4	2	1	1	1	8	8	6	5	4	3	12	12	11	10	9	8
	20	0	0	0	0	0	0	3	2	1	0	0	0	6	5	4	3	2	2	9	8	7	6	6	5	12	12	11	10	10	9
1800	5	0	0	0	0	0	0	0	0	0	0	0	0	0	0	0	0	0	0	0	0	1	1	1	1	5	4	3	3	3	3
	10	0	0	0	0	0	0	0	0	0	0	0	0	0	0	0	0	0	0	5	4	2	2	2	1	11	10	8	6	5	5
	15	0	0	0	0	0	0	0	0	0	0	0	0	3	2	1	1	1	1	7	6	5	4	3	2	12	11	10	9	8	7
	20	0	0	0	0	0	0	1	1	0	0	0	0	5	4	3	2	1	1	8	8	6	5	5	4	12	11	10	10	9	8
2000	5	0	0	0	0	0	0	0	0	0	0	0	0	0	0	0	0	0	0	0	0	0	0	1	1	2	2	2	2	2	2
	10	0	0	0	0	0	0	0	0	0	0	0	0	0	0	0	0	0	0	3	2	1	1	1	1	9	8	6	5	4	4
	15	0	0	0	0	0	0	0	0	0	0	0	0	2	1	0	0	0	0	6	5	4	3	2	2	11	11	9	8	7	6
	20	0	0	0	0	0	0	0	0	0	0	0	0	4	3	2	1	1	0	7	7	5	4	4	3	11	11	10	9	8	7

续表 C.0.2-1

外径(mm)	外管厚度(mm)	荷载比0.4						荷载比0.5						荷载比0.6						荷载比0.7						荷载比0.8					
		配筋率						配筋率						配筋率						配筋率						配筋率					
		0.00	0.006	0.02	0.03	0.04	0.05	0.00	0.006	0.02	0.03	0.04	0.05	0.00	0.006	0.02	0.03	0.04	0.05	0.00	0.006	0.02	0.03	0.04	0.05	0.00	0.006	0.02	0.03	0.04	0.05
2200	5	0	0	0	0	0	0	0	0	0	0	0	0	0	0	0	0	0	0	0	0	0	0	0	1	0	1	2	2	2	2
	10	0	0	0	0	0	0	0	0	0	0	0	0	0	0	0	0	0	0	1	1	1	1	1	1	8	7	5	4	3	3
	15	0	0	0	0	0	0	0	0	0	0	0	0	0	0	0	0	0	0	5	4	3	2	1	1	10	10	8	7	6	5
	20	0	0	0	0	0	0	0	0	0	0	0	0	3	2	1	0	0	0	7	6	5	4	3	2	11	10	9	8	7	6
2400	5	0	0	0	0	0	0	0	0	0	0	0	0	0	0	0	0	0	0	0	0	0	0	0	0	0	0	1	1	2	2
	10	0	0	0	0	0	0	0	0	0	0	0	0	0	0	0	0	0	0	0	0	0	1	1	1	7	6	4	3	3	2
	15	0	0	0	0	0	0	0	0	0	0	0	0	0	0	0	0	0	0	4	3	2	1	1	1	10	9	7	6	5	4
	20	0	0	0	0	0	0	0	0	0	0	0	0	2	1	0	0	0	0	6	5	4	3	2	1	10	10	8	7	7	6
2600	5	0	0	0	0	0	0	0	0	0	0	0	0	0	0	0	0	0	0	0	0	0	0	0	0	0	0	1	1	1	2
	10	0	0	0	0	0	0	0	0	0	0	0	0	0	0	0	0	0	0	0	0	0	0	0	1	6	5	3	3	2	2
	15	0	0	0	0	0	0	0	0	0	0	0	0	0	0	0	0	0	0	3	2	1	1	1	1	9	8	6	5	4	3
	20	0	0	0	0	0	0	0	0	0	0	0	0	0	0	0	0	0	0	6	5	3	2	1	1	10	9	8	7	6	5

注：1 保护层导热系数常温下满足 $\lambda \leqslant 0.116W(m \cdot ℃)$；

2 如果保护层厚度小于设计、施工或成品要求的最小厚度，按后者取值。

表 C.0.2-2 耐火等级为 3h 时非膨胀型防火涂料厚度 *d*（mm）（钢筋保护层厚度 30mm）

外径 (mm)	外管厚度 (mm)	荷载比 0.4						荷载比 0.5						荷载比 0.6						荷载比 0.7						荷载比 0.8					
		配筋率						配筋率						配筋率						配筋率						配筋率					
		0.00	0.006	0.02	0.03	0.04	0.05	0.00	0.006	0.02	0.03	0.04	0.05	0.00	0.006	0.02	0.03	0.04	0.05	0.00	0.006	0.02	0.03	0.04	0.05	0.00	0.006	0.02	0.03	0.04	0.05
600	5	1	1	1	1	1	0	4	3	2	2	2	1	9	7	5	4	4	3	14	13	10	9	8	7	23	21	18	16	15	14
	10	5	4	2	2	1	1	8	8	6	5	4	3	12	11	10	8	8	7	16	16	14	13	12	11	23	23	21	19	18	17
	15	6	6	5	4	3	2	9	9	8	7	6	5	12	12	11	10	10	9	16	15	14	14	13	13	21	21	19	19	18	18
	20	7	6	6	5	4	4	9	9	8	8	7	6	12	11	11	10	10	10	15	14	14	14	13	12	19	19	18	18	17	17
800	5	0	0	0	0	0	0	1	1	1	1	1	1	5	4	3	2	2	2	11	10	7	6	5	4	18	17	14	12	11	10
	10	2	1	1	1	0	0	6	5	3	2	2	2	10	9	7	6	5	4	14	14	12	11	10	8	21	19	18	17	16	15
	15	5	4	2	2	1	1	8	7	6	5	4	3	11	10	9	8	7	6	14	14	13	12	11	11	19	19	18	17	17	16
	20	6	5	4	3	2	2	8	8	7	6	5	5	11	10	10	9	8	8	14	14	13	12	12	11	18	18	17	17	16	15
1000	5	0	0	0	0	0	0	0	0	0	0	0	0	2	2	2	2	1	1	8	6	5	4	3	3	15	14	11	10	8	8
	10	0	0	0	0	0	0	4	3	2	1	1	1	8	7	5	4	3	3	12	12	10	8	7	6	19	18	16	14	14	12
	15	3	2	1	1	0	0	6	5	4	3	2	2	10	9	7	6	5	5	14	13	11	11	10	9	18	18	17	16	15	14
	20	4	4	2	1	1	1	7	7	5	4	3	3	10	10	8	8	7	6	13	13	12	11	10	10	17	17	16	15	15	14
1200	5	0	0	0	0	0	0	0	0	0	0	0	0	1	1	1	1	1	1	5	4	3	3	3	3	13	12	9	8	7	6
	10	0	0	0	0	0	0	1	1	1	1	1	1	6	5	3	2	2	2	11	10	8	7	6	5	17	16	14	13	12	11

续表 C.0.2-2

外径 (mm)	外管厚度 (mm)	荷载比0.4						荷载比0.5						荷载比0.6						荷载比0.7						荷载比0.8					
		配筋率						配筋率						配筋率						配筋率						配筋率					
		0.00	0.006	0.02	0.03	0.04	0.05	0.00	0.006	0.02	0.03	0.04	0.05	0.00	0.006	0.02	0.03	0.04	0.05	0.00	0.006	0.02	0.03	0.04	0.05	0.00	0.006	0.02	0.03	0.04	0.05
1200	15	1	0	0	0	0	0	5	4	2	1	1	1	8	8	6	5	4	3	12	12	10	9	8	7	18	17	15	14	14	13
	20	3	2	1	0	0	0	6	6	4	3	2	2	9	8	7	6	6	5	12	12	11	10	9	8	17	16	15	14	14	13
1400	5	0	0	0	0	0	0	0	0	0	0	0	0	0	0	0	1	1	1	3	3	2	2	2	2	11	10	7	6	5	5
	10	0	0	0	0	0	0	0	0	0	0	0	0	4	3	2	2	1	1	10	8	6	5	4	3	16	15	13	11	10	9
	15	0	0	0	0	0	0	3	2	1	1	1	1	7	6	4	3	3	2	11	11	9	8	7	6	17	16	14	13	12	11
	20	1	1	0	0	0	0	5	4	2	2	1	1	8	8	6	5	4	3	12	11	10	9	8	7	16	15	14	14	13	12
1600	5	0	0	0	0	0	0	0	0	0	0	0	0	0	0	0	0	0	1	1	1	2	2	2	2	8	7	5	5	4	4
	10	0	0	0	0	0	0	0	0	0	0	0	0	2	1	1	1	1	1	8	7	4	4	3	3	14	14	11	10	8	7
	15	0	0	0	0	0	0	1	1	0	0	0	0	6	5	3	2	2	1	10	10	8	6	5	4	15	15	13	12	11	10
	20	0	0	0	0	0	0	4	3	1	1	1	0	7	7	5	4	3	2	11	10	9	8	7	6	15	14	14	12	12	11
1800	5	0	0	0	0	0	0	0	0	0	0	0	0	0	0	0	0	0	0	0	0	1	1	1	1	6	5	4	4	4	3
	10	0	0	0	0	0	0	0	0	0	0	0	0	0	0	1	1	1	1	6	5	3	3	2	2	13	12	10	8	7	6
	15	0	0	0	0	0	0	0	0	0	0	0	0	4	3	2	1	1	1	9	8	6	5	4	3	14	14	12	11	10	9
	20	0	0	0	0	0	0	2	1	1	0	0	0	6	6	4	2	2	1	10	10	8	7	6	5	14	14	12	12	11	10

2000	5	0	0	0	0	0	0	0	0	0	0	0	0	0	0	0	0	0	0	0	0	1	1	1	1	3	3	3	3	3	3
	10	0	0	0	0	0	0	0	0	0	0	0	0	0	0	0	0	0	0	4	3	2	2	2	2	11	10	8	6	6	5
	15	0	0	0	0	0	0	0	0	0	0	0	0	2	1	1	1	1	1	8	7	5	4	3	2	14	13	11	10	8	8
	20	0	0	0	0	0	0	0	0	0	0	0	0	5	4	2	2	1	1	9	8	7	6	5	4	14	13	12	11	10	9
2200	5	0	0	0	0	0	0	0	0	0	0	0	0	0	0	0	0	0	0	0	0	0	1	1	1	1	2	2	2	3	3
	10	0	0	0	0	0	0	0	0	0	0	0	0	0	0	0	0	0	0	1	1	1	1	1	1	10	9	6	5	4	4
	15	0	0	0	0	0	0	0	0	0	0	0	0	0	0	0	0	0	0	7	6	3	3	2	2	12	12	10	8	7	6
	20	0	0	0	0	0	0	0	0	0	0	0	0	4	3	1	1	1	1	8	8	6	5	4	3	13	12	11	10	9	8
2400	5	0	0	0	0	0	0	0	0	0	0	0	0	0	0	0	0	0	0	0	0	0	0	1	1	0	1	2	2	2	2
	10	0	0	0	0	0	0	0	0	0	0	0	0	0	0	0	0	0	0	0	0	1	1	1	1	9	7	5	4	4	3
	15	0	0	0	0	0	0	0	0	0	0	0	0	0	0	0	0	0	0	6	4	2	2	2	2	12	11	9	8	6	5
	20	0	0	0	0	0	0	0	0	0	0	0	0	3	1	1	1	0	0	8	7	5	4	3	2	12	12	10	9	8	7
2600	5	0	0	0	0	0	0	0	0	0	0	0	0	0	0	0	0	0	0	0	0	0	0	1	1	0	0	2	2	2	2
	10	0	0	0	0	0	0	0	0	0	0	0	0	0	0	0	0	0	0	0	0	1	1	1	1	7	6	4	4	3	3
	15	0	0	0	0	0	0	0	0	0	0	0	0	0	0	0	0	0	0	4	3	2	1	1	1	11	10	8	6	5	5
	20	0	0	0	0	0	0	0	0	0	0	0	0	1	0	0	0	0	0	7	6	4	3	2	2	12	11	10	8	8	7

注：1　保护层导热系数常温下满足 $\lambda \leqslant 0.116W$(m·℃)；

2　如果保护层厚度小于设计、施工或成品要求的最小厚度，按后者取值。

表 C.0.2-3 耐火等级为 2.5h 时非膨胀型防火涂料厚度 d（mm）（钢筋保护层厚度 50mm）

外径(mm)	外管厚度(mm)	荷载比 0.4						荷载比 0.5						荷载比 0.6						荷载比 0.7						荷载比 0.8					
		配筋率						配筋率						配筋率						配筋率						配筋率					
		0.00	0.006	0.02	0.03	0.04	0.05	0.00	0.006	0.02	0.03	0.04	0.05	0.00	0.006	0.02	0.03	0.04	0.05	0.00	0.006	0.02	0.03	0.04	0.05	0.00	0.006	0.02	0.03	0.04	0.05
600	5	1	0	0	0	0	0	3	2	1	1	0	0	7	6	4	3	2	1	12	11	8	7	6	5	18	17	15	13	12	11
	10	4	3	1	1	0	0	7	6	4	3	2	2	10	9	8	7	6	5	13	13	12	11	10	9	18	18	17	16	15	14
	15	5	5	3	2	2	1	7	7	6	5	5	4	10	10	9	8	8	7	13	12	12	11	11	10	17	17	16	16	15	15
	20	5	5	4	4	3	2	7	7	6	6	6	5	10	9	9	8	8	8	12	12	11	11	11	10	16	16	15	15	14	14
800	5	0	0	0	0	0	0	1	0	0	0	0	0	4	3	1	1	1	0	9	7	5	4	3	2	15	14	11	10	9	7
	10	1	1	0	0	0	0	5	4	2	1	1	0	8	7	5	4	3	2	12	11	10	8	8	6	17	16	15	14	13	12
	15	3	3	1	0	0	0	6	6	4	3	2	2	9	8	7	6	6	5	12	12	11	10	9	9	16	16	15	14	14	13
	20	4	4	3	2	1	0	6	6	5	5	4	3	9	8	8	7	6	6	11	11	11	10	10	9	15	15	14	14	13	12
1000	5	0	0	0	0	0	0	0	0	0	0	0	0	2	1	0	0	0	0	6	5	3	2	2	1	12	11	9	7	6	5
	10	0	0	0	0	0	0	3	2	0	0	0	0	6	5	3	2	1	1	10	10	8	6	5	4	16	15	13	12	11	10
	15	2	1	0	0	0	0	5	4	2	1	1	0	8	7	6	5	4	3	11	11	9	8	8	7	15	15	14	13	12	12
	20	3	3	1	0	0	0	6	5	4	3	2	1	8	8	7	6	5	5	11	11	10	9	8	8	14	14	13	12	12	12
1200	5	0	0	0	0	0	0	0	0	0	0	0	0	0	0	0	0	0	0	4	3	2	1	1	1	11	10	7	5	4	3
	10	0	0	0	0	0	0	1	0	0	0	0	0	5	4	2	1	1	0	9	8	6	5	4	3	14	13	12	11	10	8

	15	0	0	0	0	0	0	4	3	1	0	0	0	7	6	4	3	2	1	10	10	8	7	6	6	15	14	12	12	11	11
	20	2	1	0	0	0	0	5	4	3	2	1	0	7	7	6	5	4	3	10	10	9	8	7	7	14	13	12	12	11	11
1400	5	0	0	0	0	0	0	0	0	0	0	0	0	0	0	0	0	0	0	2	2	1	1	0	0	9	8	5	4	3	2
	10	0	0	0	0	0	0	0	0	0	0	0	0	3	2	1	0	0	0	8	7	4	3	2	2	13	12	10	9	8	7
	15	0	0	0	0	0	0	2	1	0	0	0	0	6	5	3	2	1	1	9	9	7	6	5	4	14	13	12	11	10	9
	20	1	0	0	0	0	0	4	3	1	0	0	0	6	6	5	4	3	2	10	9	8	7	6	6	13	12	12	11	11	10
1600	5	0	0	0	0	0	0	0	0	0	0	0	0	0	0	0	0	0	0	1	0	0	0	0	0	7	5	3	2	2	2
	10	0	0	0	0	0	0	0	0	0	0	0	0	1	1	0	0	0	0	6	5	3	2	1	1	12	11	9	8	6	5
	15	0	0	0	0	0	0	1	0	0	0	0	0	5	4	2	1	0	0	8	8	6	5	4	3	12	12	11	10	9	8
	20	0	0	0	0	0	0	3	2	0	0	0	0	6	5	4	3	1	1	9	8	7	6	5	5	12	12	11	10	10	9
1800	5	0	0	0	0	0	0	0	0	0	0	0	0	0	0	0	0	0	0	0	0	0	0	0	0	5	3	2	2	1	1
	10	0	0	0	0	0	0	0	0	0	0	0	0	0	0	0	0	0	0	5	3	1	1	1	0	11	10	7	6	5	4
	15	0	0	0	0	0	0	0	0	0	0	0	0	3	2	0	0	0	0	7	6	5	3	2	1	12	11	10	9	8	7
	20	0	0	0	0	0	0	1	0	0	0	0	0	5	4	2	1	0	0	8	8	6	5	4	3	12	11	10	10	9	8
2000	5	0	0	0	0	0	0	0	0	0	0	0	0	0	0	0	0	0	0	0	0	0	0	0	0	2	2	1	1	1	1
	10	0	0	0	0	0	0	0	0	0	0	0	0	0	0	0	0	0	0	3	2	1	0	0	0	9	8	6	4	3	2
	15	0	0	0	0	0	0	0	0	0	0	0	0	2	1	0	0	0	0	6	5	3	2	1	1	11	11	9	8	6	6
	20	0	0	0	0	0	0	0	0	0	0	0	0	4	3	1	0	0	0	7	7	5	4	3	2	11	11	10	9	8	7

续表 C.0.2-3

外径(mm)	外管厚度(mm)	荷载比0.4 配筋率 0.00	0.006	0.02	0.03	0.04	0.05	荷载比0.5 配筋率 0.00	0.006	0.02	0.03	0.04	0.05	荷载比0.6 配筋率 0.00	0.006	0.02	0.03	0.04	0.05	荷载比0.7 配筋率 0.00	0.006	0.02	0.03	0.04	0.05	荷载比0.8 配筋率 0.00	0.006	0.02	0.03	0.04	0.05
2200	5	0	0	0	0	0	0	0	0	0	0	0	0	0	0	0	0	0	0	0	0	0	0	0	0	0	1	1	1	1	1
	10	0	0	0	0	0	0	0	0	0	0	0	0	0	0	0	0	0	0	1	0	0	0	0	0	8	7	4	3	2	2
	15	0	0	0	0	0	0	0	0	0	0	0	0	0	0	0	0	0	0	5	4	2	1	0	0	10	10	8	6	6	4
	20	0	0	0	0	0	0	0	0	0	0	0	0	3	2	0	0	0	0	7	6	4	3	2	1	11	10	9	8	7	6
2400	5	0	0	0	0	0	0	0	0	0	0	0	0	0	0	0	0	0	0	0	0	0	0	0	0	0	0	0	0	0	0
	10	0	0	0	0	0	0	0	0	0	0	0	0	0	0	0	0	0	0	0	0	0	0	0	0	7	6	3	2	1	1
	15	0	0	0	0	0	0	0	0	0	0	0	0	0	0	0	0	0	0	4	3	1	0	0	0	10	9	7	6	4	3
	20	0	0	0	0	0	0	0	0	0	0	0	0	2	1	0	0	0	0	6	5	4	2	1	0	10	10	8	7	6	6
2600	5	0	0	0	0	0	0	0	0	0	0	0	0	0	0	0	0	0	0	0	0	0	0	0	0	0	0	0	0	0	0
	10	0	0	0	0	0	0	0	0	0	0	0	0	0	0	0	0	0	0	0	0	0	0	0	0	6	4	2	1	1	1
	15	0	0	0	0	0	0	0	0	0	0	0	0	0	0	0	0	0	0	3	2	0	0	0	0	9	8	6	5	3	2
	20	0	0	0	0	0	0	0	0	0	0	0	0	0	0	0	0	0	0	6	5	3	1	0	0	10	9	8	7	6	5

注：1 保护层导热系数常温下满足 $\lambda \leqslant 0.116W(m \cdot ℃)$；

2 如果保护层厚度小于设计、施工或成品要求的最小厚度，按后者取值。

表 C.0.2-4 耐火等级为 3h 时非膨胀型防火涂料厚度 d（mm）（钢筋保护层厚度 50mm）

外径 (mm)	外管厚度 (mm)	荷载比 0.4						荷载比 0.5						荷载比 0.6						荷载比 0.7						荷载比 0.8					
		配筋率						配筋率						配筋率						配筋率						配筋率					
		0.00	0.006	0.02	0.03	0.04	0.05	0.00	0.006	0.02	0.03	0.04	0.05	0.00	0.006	0.02	0.03	0.04	0.05	0.00	0.006	0.02	0.03	0.04	0.05	0.00	0.006	0.02	0.03	0.04	0.05
600	5	1	1	0	0	0	0	4	3	2	1	1	1	9	7	5	4	3	2	14	13	10	8	7	6	23	21	18	16	14	13
	10	5	4	2	1	1	0	8	7	6	4	3	2	12	11	10	8	7	6	16	16	14	13	12	11	23	23	21	19	18	17
	15	6	6	4	3	2	2	9	9	8	7	6	5	12	12	11	10	10	9	16	15	14	14	13	12	21	21	19	19	18	18
	20	7	6	6	5	4	3	9	9	8	8	7	6	12	11	11	10	10	10	15	14	14	14	13	12	19	19	18	18	17	17
800	5	0	0	0	0	0	0	1	1	0	0	0	0	5	4	2	1	1	1	11	9	6	5	4	3	18	17	14	12	11	9
	10	2	1	0	0	0	0	6	5	3	2	1	1	10	9	7	6	4	3	14	14	12	10	10	8	21	19	18	17	16	14
	15	5	4	2	1	0	0	8	7	5	4	3	2	11	10	9	8	7	6	14	14	13	12	11	11	19	19	18	17	17	16
	20	6	5	4	3	2	1	8	8	7	6	5	4	11	10	10	9	8	8	14	14	13	12	12	11	18	18	17	17	16	15
1000	5	0	0	0	0	0	0	0	0	0	0	0	0	2	2	1	1	1	0	8	6	4	3	2	2	15	14	11	9	8	6
	10	0	0	0	0	0	0	4	2	1	0	0	0	8	7	4	3	2	1	12	12	10	8	7	6	19	18	16	14	14	12
	15	3	2	0	0	0	0	6	5	3	2	1	1	10	9	7	6	5	4	14	13	11	10	10	9	18	18	17	16	15	14
	20	4	4	2	1	0	0	7	7	5	4	3	2	10	10	8	8	7	6	13	13	12	11	10	10	17	17	16	15	15	14
1200	5	0	0	0	0	0	0	0	0	0	0	0	0	1	0	0	0	0	0	5	4	2	2	1	1	13	12	8	7	6	5
	10	0	0	0	0	0	0	1	1	0	0	0	0	6	5	2	1	1	1	11	10	8	6	5	4	17	16	14	13	12	10

续表 C.0.2-4

外径 (mm)	外管厚度 (mm)	荷载比 0.4						荷载比 0.5						荷载比 0.6						荷载比 0.7						荷载比 0.8					
		配筋率						配筋率						配筋率						配筋率						配筋率					
		0.00	0.006	0.02	0.03	0.04	0.05	0.00	0.006	0.02	0.03	0.04	0.05	0.00	0.006	0.02	0.03	0.04	0.05	0.00	0.006	0.02	0.03	0.04	0.05	0.00	0.006	0.02	0.03	0.04	0.05
1200	15	1	0	0	0	0	0	5	4	1	1	0	0	8	8	6	4	3	2	12	12	10	9	8	7	18	17	15	14	14	13
	20	3	2	0	0	0	0	6	6	4	2	1	1	9	8	7	6	5	4	12	12	11	10	9	8	17	16	15	14	14	13
1400	5	0	0	0	0	0	0	0	0	0	0	0	0	0	0	0	0	0	0	3	2	1	1	1	1	11	10	6	5	4	3
	10	0	0	0	0	0	0	0	0	0	0	0	0	4	3	1	1	0	0	10	8	6	4	3	2	16	15	12	11	10	8
	15	0	0	0	0	0	0	3	2	0	0	0	0	7	6	4	3	2	1	11	11	9	8	6	5	17	16	14	13	12	11
	20	1	0	0	0	0	0	5	4	2	1	0	0	8	8	6	5	4	3	12	11	10	9	8	7	16	15	14	14	13	12
1600	5	0	0	0	0	0	0	0	0	0	0	0	0	0	0	0	0	0	0	1	1	1	1	1	1	8	7	4	3	3	2
	10	0	0	0	0	0	0	0	0	0	0	0	0	2	1	0	0	0	0	8	6	4	2	2	1	14	13	11	10	8	7
	15	0	0	0	0	0	0	1	0	0	0	0	0	6	5	2	1	1	0	10	10	7	6	5	4	15	15	13	12	11	10
	20	0	0	0	0	0	0	4	3	1	0	0	0	7	7	5	3	2	1	11	10	9	8	7	6	15	14	14	12	12	11
1800	5	0	0	0	0	0	0	0	0	0	0	0	0	0	0	0	0	0	0	0	0	0	0	0	0	6	4	3	2	2	2
	10	0	0	0	0	0	0	0	0	0	0	0	0	0	0	0	0	0	0	6	4	2	1	1	1	13	12	9	8	6	5
	15	0	0	0	0	0	0	0	0	0	0	0	0	4	3	1	0	0	0	9	8	6	4	3	2	14	14	12	11	10	8
	20	0	0	0	0	0	0	2	1	0	0	0	0	6	6	3	2	1	0	10	10	8	7	6	5	14	14	12	12	11	10

2000	5	0	0	0	0	0	0	0	0	0	0	0	0	0	0	0	0	0	0	0	0	0	0	0	0	3	2	2	2	1	1
	10	0	0	0	0	0	0	0	0	0	0	0	0	0	0	0	0	0	0	4	2	1	1	1	1	11	10	7	6	4	3
	15	0	0	0	0	0	0	0	0	0	0	0	0	2	1	0	0	0	0	8	7	4	3	2	1	14	13	11	10	8	7
	20	0	0	0	0	0	0	0	0	0	0	0	0	5	4	2	1	0	0	9	8	7	6	4	3	14	13	12	11	10	9
2200	5	0	0	0	0	0	0	0	0	0	0	0	0	0	0	0	0	0	0	0	0	0	0	0	0	1	1	1	1	1	1
	10	0	0	0	0	0	0	0	0	0	0	0	0	0	0	0	0	0	0	1	1	0	0	0	0	10	9	6	4	3	2
	15	0	0	0	0	0	0	0	0	0	0	0	0	0	0	0	0	0	0	7	6	3	1	1	1	12	12	10	8	7	6
	20	0	0	0	0	0	0	0	0	0	0	0	0	4	3	0	0	0	0	8	8	6	4	3	2	13	12	11	10	9	8
2400	5	0	0	0	0	0	0	0	0	0	0	0	0	0	0	0	0	0	0	0	0	0	0	0	0	0	0	1	1	1	1
	10	0	0	0	0	0	0	0	0	0	0	0	0	0	0	0	0	0	0	0	0	0	0	0	0	9	7	4	3	2	2
	15	0	0	0	0	0	0	0	0	0	0	0	0	0	0	0	0	0	0	6	4	1	1	1	0	12	11	9	7	6	4
	20	0	0	0	0	0	0	0	0	0	0	0	0	3	1	0	0	0	0	8	7	5	3	2	1	12	12	10	9	8	7
2600	5	0	0	0	0	0	0	0	0	0	0	0	0	0	0	0	0	0	0	0	0	0	0	0	0	0	0	0	1	1	1
	10	0	0	0	0	0	0	0	0	0	0	0	0	0	0	0	0	0	0	0	0	0	0	0	0	7	6	3	2	2	1
	15	0	0	0	0	0	0	0	0	0	0	0	0	0	0	0	0	0	0	4	2	1	0	0	0	11	10	8	6	5	3
	20	0	0	0	0	0	0	0	0	0	0	0	0	1	0	0	0	0	0	7	6	3	2	1	1	12	11	10	8	7	6

注：1　保护层导热系数常温下满足 $\lambda \leqslant 0.116W$(m・℃)；

2　如果保护层厚度小于设计、施工或成品要求的最小厚度，按后者取值。

C. 0. 3 当保护层为水泥砂浆时，内配单层螺旋箍筋圆形钢管混凝土构件保护层厚度可按按表 C. 0. 3-1～表 C. 0. 3-4 取值。

表 C. 0. 3-1 耐火等级为 2. 5h 时水泥砂浆保护层厚度 *d* (mm)(钢筋保护层厚度 30mm)

外径(mm)	外管厚度(mm)	荷载比0.4						荷载比0.5						荷载比0.6						荷载比0.7						荷载比0.8					
		配筋率						配筋率						配筋率						配筋率						配筋率					
		0.00	0.006	0.02	0.03	0.04	0.05	0.00	0.006	0.02	0.03	0.04	0.05	0.00	0.006	0.02	0.03	0.04	0.05	0.00	0.006	0.02	0.03	0.04	0.05	0.00	0.006	0.02	0.03	0.04	0.05
600	5	4	2	1	1	1	0	14	10	7	5	5	4	30	24	18	14	12	10	49	44	35	31	26	23	78	72	63	55	52	47
	10	16	12	7	5	4	3	28	25	19	15	12	10	40	38	32	28	25	22	55	55	49	44	42	38	78	78	72	67	63	59
	15	21	19	15	11	9	7	31	30	25	23	20	18	42	40	36	35	32	30	55	52	49	47	44	44	72	72	67	67	63	63
	20	23	21	18	16	14	11	31	30	27	25	24	21	40	38	36	35	33	32	52	49	47	47	44	42	67	67	63	63	59	59
800	5	0	0	0	0	0	0	4	2	2	2	1	1	16	13	9	7	6	6	36	32	23	19	16	14	63	59	49	42	38	33
	10	6	4	1	1	0	0	19	16	9	7	5	4	33	30	24	19	16	13	49	47	40	36	32	28	72	67	63	59	55	52
	15	15	12	6	4	3	2	25	24	18	15	11	9	36	35	31	27	24	21	49	49	44	42	38	36	67	67	63	59	59	55
	20	19	16	12	9	6	4	27	26	22	20	17	15	36	35	32	30	28	25	47	47	44	42	40	38	63	63	59	59	55	52
1000	5	0	0	0	0	0	0	0	0	0	0	0	0	7	6	4	4	4	4	26	21	15	12	11	10	52	49	38	33	28	25
	10	0	0	0	0	0	0	11	8	4	3	2	2	26	23	16	12	9	8	42	40	33	28	24	21	67	63	55	49	47	42
	15	8	5	2	1	0	0	21	18	11	8	6	4	32	31	24	21	18	15	47	44	38	36	33	30	63	63	59	55	52	49
	20	14	11	6	3	2	1	24	22	17	14	11	8	33	32	28	25	23	21	44	44	40	38	35	33	59	59	55	52	52	49

1200	5	0	0	0	0	0	0	0	0	0	0	0	0	1	2	2	2	2	2	18	14	10	9	8	8	44	40	31	25	22	20
	10	0	0	0	0	0	0	4	2	1	1	1	1	20	16	9	7	6	5	38	33	26	22	18	15	59	55	49	44	40	36
	15	1	0	0	0	0	0	15	12	6	4	3	2	28	25	19	15	12	9	42	40	35	31	27	24	63	59	52	49	47	44
	20	9	6	2	0	0	0	21	18	12	9	6	4	31	28	24	21	18	15	42	40	36	33	31	28	59	55	52	49	47	44
1400	5	0	0	0	0	0	0	0	0	0	0	0	0	0	0	0	1	1	2	10	8	7	6	6	6	36	32	24	20	18	16
	10	0	0	0	0	0	0	0	0	0	0	0	0	13	9	5	4	4	3	32	28	20	16	13	11	55	52	44	38	33	31
	15	0	0	0	0	0	0	9	6	2	1	1	1	24	21	14	10	8	6	38	36	30	26	22	19	59	55	49	44	42	38
	20	3	1	0	0	0	0	16	13	7	4	3	2	27	25	21	16	13	10	40	38	33	31	27	24	55	52	49	47	44	42
1600	5	0	0	0	0	0	0	0	0	0	0	0	0	0	0	0	0	0	1	3	4	4	5	5	5	28	24	18	16	14	13
	10	0	0	0	0	0	0	0	0	0	0	0	0	6	4	3	2	2	2	26	22	14	11	9	8	49	47	38	32	28	24
	15	0	0	0	0	0	0	3	1	0	0	0	0	19	16	9	6	5	4	35	32	25	21	17	14	52	52	44	40	38	33
	20	0	0	0	0	0	0	12	9	3	2	1	0	24	22	16	12	9	6	36	35	30	26	24	21	52	49	47	42	40	38
1800	5	0	0	0	0	0	0	0	0	0	0	0	0	0	0	0	0	0	0	0	0	2	3	4	4	19	16	13	12	11	11
	10	0	0	0	0	0	0	0	0	0	0	0	0	0	0	1	1	1	1	19	15	9	8	7	6	44	40	32	26	23	19
	15	0	0	0	0	0	0	0	0	0	0	0	0	14	10	5	3	3	2	31	27	21	16	12	10	49	47	40	36	33	30
	20	0	0	0	0	0	0	6	3	0	0	0	0	21	18	11	7	5	4	33	32	26	23	19	16	49	47	42	40	36	35
2000	5	0	0	0	0	0	0	0	0	0	0	0	0	0	0	0	0	0	0	0	0	1	2	3	3	10	9	9	9	9	9
	10	0	0	0	0	0	0	0	0	0	0	0	0	0	0	0	0	0	0	12	8	6	5	5	5	38	35	26	21	18	16
	15	0	0	0	0	0	0	0	0	0	0	0	0	7	4	2	1	1	1	26	23	15	11	9	7	47	44	36	32	28	25
	20	0	0	0	0	0	0	0	0	0	0	0	0	18	14	7	4	3	2	31	28	23	19	15	12	47	44	40	36	33	31

续表 C. 0. 3-1

外径(mm)	外管厚度(mm)	荷载比0.4 配筋率 0.00	0.006	0.02	0.03	0.04	0.05	荷载比0.5 配筋率 0.00	0.006	0.02	0.03	0.04	0.05	荷载比0.6 配筋率 0.00	0.006	0.02	0.03	0.04	0.05	荷载比0.7 配筋率 0.00	0.006	0.02	0.03	0.04	0.05	荷载比0.8 配筋率 0.00	0.006	0.02	0.03	0.04	0.05
2200	5	0	0	0	0	0	0	0	0	0	0	0	0	0	0	0	0	0	0	0	0	0	1	2	2	2	5	7	7	8	8
	10	0	0	0	0	0	0	0	0	0	0	0	0	0	0	0	0	0	0	3	3	3	3	3	3	33	30	21	17	14	12
	15	0	0	0	0	0	0	0	0	0	0	0	0	0	0	0	0	0	0	23	19	11	8	6	5	42	40	33	28	24	21
	20	0	0	0	0	0	0	0	0	0	0	0	0	13	9	3	2	1	1	28	25	19	15	11	8	44	42	36	33	31	27
2400	5	0	0	0	0	0	0	0	0	0	0	0	0	0	0	0	0	0	0	0	0	0	0	1	2	0	2	5	6	7	7
	10	0	0	0	0	0	0	0	0	0	0	0	0	0	0	0	0	0	0	0	0	2	2	3	3	30	24	16	13	12	10
	15	0	0	0	0	0	0	0	0	0	0	0	0	0	0	0	0	0	0	18	14	7	5	5	4	40	36	30	25	21	18
	20	0	0	0	0	0	0	0	0	0	0	0	0	8	4	1	1	0	0	26	23	16	11	8	6	42	40	35	31	28	24
2600	5	0	0	0	0	0	0	0	0	0	0	0	0	0	0	0	0	0	0	0	0	0	0	1	2	0	0	4	5	6	7
	10	0	0	0	0	0	0	0	0	0	0	0	0	0	0	0	0	0	0	0	0	1	2	2	2	24	20	13	11	10	9
	15	0	0	0	0	0	0	0	0	0	0	0	0	0	0	0	0	0	0	14	9	5	4	3	3	36	33	26	21	18	15
	20	0	0	0	0	0	0	0	0	0	0	0	0	1	0	0	0	0	0	24	20	12	8	6	5	40	38	32	28	25	22

注：如果保护层厚度小于设计、施工或成品要求的最小厚度，按后者取值。

表 C.0.3-2 耐火等级为 2.5h 时水泥砂浆保护层厚度 d（mm）（钢筋保护层厚度 50mm）

外径(mm)	外管厚度(mm)	荷载比0.4						荷载比0.5						荷载比0.6						荷载比0.7						荷载比0.8					
		配筋率						配筋率						配筋率						配筋率						配筋率					
		0.00	0.006	0.02	0.03	0.04	0.05	0.00	0.006	0.02	0.03	0.04	0.05	0.00	0.006	0.02	0.03	0.04	0.05	0.00	0.006	0.02	0.03	0.04	0.05	0.00	0.006	0.02	0.03	0.04	0.05
600	5	4	1	0	0	0	0	14	10	4	3	2	1	30	24	16	11	8	6	49	44	35	28	24	19	78	72	63	55	49	44
	10	16	12	6	3	1	0	28	24	18	14	10	7	40	38	32	28	24	21	55	55	49	44	42	38	78	78	72	67	63	59
	15	21	19	14	10	7	4	31	30	25	22	19	16	42	40	36	33	32	30	55	52	49	47	44	42	72	72	67	67	63	63
	20	23	21	18	16	13	10	31	30	27	25	24	21	40	38	36	35	33	32	52	49	47	47	44	42	67	67	63	63	59	59
800	5	0	0	0	0	0	0	4	1	0	0	0	0	16	12	6	4	3	2	36	31	21	16	12	9	63	59	47	42	36	31
	10	6	3	0	0	0	0	19	15	8	4	2	1	33	30	23	18	13	10	49	47	40	35	32	27	72	67	63	59	55	49
	15	15	12	5	2	0	0	25	24	18	14	10	6	36	35	31	27	24	21	49	49	44	42	38	36	67	67	63	59	59	55
	20	19	16	11	8	4	2	27	26	22	19	16	14	36	35	32	30	27	25	47	47	44	42	40	38	63	63	59	59	55	52
1000	5	0	0	0	0	0	0	0	0	0	0	0	0	7	4	2	1	1	0	26	21	12	9	6	5	52	47	38	31	25	21
	10	0	0	0	0	0	0	11	7	2	0	0	0	26	23	14	9	6	4	42	40	32	27	23	19	67	63	55	49	47	42
	15	8	4	0	0	0	0	21	18	10	6	3	1	32	30	24	21	16	13	47	44	38	35	32	30	63	63	59	55	52	49
	20	14	11	4	1	0	0	24	22	17	13	10	6	33	32	28	25	23	20	44	44	40	38	35	33	59	59	55	52	52	49
1200	5	0	0	0	0	0	0	0	0	0	0	0	0	1	0	0	0	0	0	18	13	7	5	4	3	44	40	28	23	18	15
	10	0	0	0	0	0	0	4	1	0	0	0	0	20	16	7	4	2	1	38	33	25	20	15	11	59	55	49	44	40	35

续表 C.0.3-2

外径 (mm)	外管厚度 (mm)	荷载比0.4 配筋率						荷载比0.5 配筋率						荷载比0.6 配筋率						荷载比0.7 配筋率						荷载比0.8 配筋率					
		0.00	0.006	0.02	0.03	0.04	0.05	0.00	0.006	0.02	0.03	0.04	0.05	0.00	0.006	0.02	0.03	0.04	0.05	0.00	0.006	0.02	0.03	0.04	0.05	0.00	0.006	0.02	0.03	0.04	0.05
1200	15	1	0	0	0	0	0	15	11	4	1	0	0	28	25	19	14	9	6	42	40	35	31	26	24	63	59	52	49	47	44
	20	9	5	0	0	0	0	21	18	12	7	3	1	31	28	24	21	18	14	42	40	36	33	31	28	59	55	52	49	47	44
1400	5	0	0	0	0	0	0	0	0	0	0	0	0	0	0	0	0	0	0	10	6	3	3	2	2	36	32	21	16	12	10
	10	0	0	0	0	0	0	0	0	0	0	0	0	13	8	3	1	0	0	32	28	19	13	9	6	55	52	42	38	33	28
	15	0	0	0	0	0	0	9	5	0	0	0	0	24	21	13	8	4	2	38	36	30	25	21	17	59	55	49	44	42	38
	20	3	0	0	0	0	0	16	13	6	2	0	0	27	25	20	16	12	8	40	38	33	30	27	24	55	52	49	47	44	42
1600	5	0	0	0	0	0	0	0	0	0	0	0	0	0	0	0	0	0	0	3	2	1	1	1	1	28	23	14	10	8	7
	10	0	0	0	0	0	0	0	0	0	0	0	0	6	2	0	0	0	0	26	21	12	7	5	4	49	44	36	32	26	22
	15	0	0	0	0	0	0	3	0	0	0	0	0	19	15	6	3	1	0	35	32	24	20	15	11	52	52	44	40	36	33
	20	0	0	0	0	0	0	12	8	1	0	0	0	24	22	16	11	6	3	36	35	30	26	23	20	52	49	47	42	40	38
1800	5	0	0	0	0	0	0	0	0	0	0	0	0	0	0	0	0	0	0	0	0	0	0	0	0	19	14	8	7	6	5
	10	0	0	0	0	0	0	0	0	0	0	0	0	0	0	0	0	0	0	19	14	6	4	2	2	44	40	31	25	20	15
	15	0	0	0	0	0	0	0	0	0	0	0	0	14	9	2	0	0	0	31	27	19	14	9	6	49	47	40	36	32	28
	20	0	0	0	0	0	0	6	2	0	0	0	0	22	18	10	5	2	0	33	32	26	23	19	15	49	47	42	40	36	33

2000	5	0	0	0	0	0	0	0	0	0	0	0	0	0	0	0	0	0	0	0	0	0	0	0	0	10	7	5	4	4	4
	10	0	0	0	0	0	0	0	0	0	0	0	0	0	0	0	0	0	0	12	7	2	1	1	0	38	35	24	19	13	10
	15	0	0	0	0	0	0	0	0	0	0	0	0	7	2	0	0	0	0	26	23	14	8	5	3	47	44	36	32	27	24
	20	0	0	0	0	0	0	0	0	0	0	0	0	18	13	4	1	0	0	31	28	23	18	14	9	47	44	40	36	33	31
2200	5	0	0	0	0	0	0	0	0	0	0	0	0	0	0	0	0	0	0	0	0	0	0	0	0	2	2	3	3	3	3
	10	0	0	0	0	0	0	0	0	0	0	0	0	0	0	0	0	0	0	3	1	0	0	0	0	33	30	19	13	9	7
	15	0	0	0	0	0	0	0	0	0	0	0	0	0	0	0	0	0	0	23	18	8	4	2	1	42	40	32	27	24	19
	20	0	0	0	0	0	0	0	0	0	0	0	0	13	8	0	0	0	0	28	25	19	14	8	5	44	42	36	33	31	27
2400	5	0	0	0	0	0	0	0	0	0	0	0	0	0	0	0	0	0	0	0	0	0	0	0	0	0	0	1	2	2	2
	10	0	0	0	0	0	0	0	0	0	0	0	0	0	0	0	0	0	0	0	0	0	0	0	0	30	24	13	8	6	5
	15	0	0	0	0	0	0	0	0	0	0	0	0	0	0	0	0	0	0	18	13	3	1	0	0	40	36	30	24	19	14
	20	0	0	0	0	0	0	0	0	0	0	0	0	8	2	0	0	0	0	26	23	15	9	4	2	42	40	35	31	27	24
2600	5	0	0	0	0	0	0	0	0	0	0	0	0	0	0	0	0	0	0	0	0	0	0	0	0	0	0	0	1	1	2
	10	0	0	0	0	0	0	0	0	0	0	0	0	0	0	0	0	0	0	0	0	0	0	0	0	24	19	8	5	4	4
	15	0	0	0	0	0	0	0	0	0	0	0	0	0	0	0	0	0	0	14	7	1	0	0	0	36	33	25	20	15	10
	20	0	0	0	0	0	0	0	0	0	0	0	0	1	0	0	0	0	0	24	20	11	5	2	1	40	38	32	28	24	21

注:如果保护层厚度小于设计、施工或成品要求的最小厚度,按后者取值。

表 C. 0. 3-3 耐火等级为 3h 时水泥砂浆保护层厚度 *d*（mm）（钢筋保护层厚度 30mm）

外径 (mm)	外管厚度 (mm)	荷载比 0.4						荷载比 0.5						荷载比 0.6						荷载比 0.7						荷载比 0.8					
		配筋率						配筋率						配筋率						配筋率						配筋率					
		0.00	0.006	0.02	0.03	0.04	0.05	0.00	0.006	0.02	0.03	0.04	0.05	0.00	0.006	0.02	0.03	0.04	0.05	0.00	0.006	0.02	0.03	0.04	0.05	0.00	0.006	0.02	0.03	0.04	0.05
600	5	6	4	3	2	2	2	19	14	10	8	7	6	37	31	23	18	16	13	61	55	43	38	33	29	95	88	77	68	64	57
	10	21	16	10	8	6	5	36	32	24	20	16	13	50	47	40	36	32	28	68	68	61	55	52	47	95	95	88	82	77	72
	15	27	25	19	15	12	10	38	37	32	29	25	23	52	50	45	43	40	37	68	64	61	57	55	55	88	88	82	82	77	77
	20	29	27	23	21	18	15	38	37	34	32	30	27	50	47	45	43	42	40	64	61	57	57	55	52	82	82	77	77	72	72
800	5	0	0	0	0	0	0	6	4	4	4	3	3	21	17	12	10	9	8	45	40	29	24	21	18	77	72	61	52	47	42
	10	9	6	3	3	2	2	25	20	13	10	8	7	42	37	30	25	20	17	61	57	50	45	40	36	88	82	77	72	68	64
	15	19	16	9	7	5	4	32	30	23	19	15	12	45	43	38	34	31	27	61	61	55	52	47	45	82	82	77	72	72	68
	20	24	21	16	12	9	7	34	33	28	25	22	19	45	43	40	37	36	32	57	57	55	52	50	47	77	77	72	72	68	64
1000	5	0	0	0	0	0	0	0	0	1	1	1	2	10	8	7	6	6	6	33	27	20	16	15	13	64	61	47	42	36	32
	10	1	0	0	0	0	0	15	11	6	5	4	4	33	29	20	16	13	11	52	50	42	36	31	26	82	77	68	61	57	52
	15	11	7	4	2	2	1	26	23	15	11	8	7	40	38	31	27	23	19	57	55	47	45	42	37	77	77	72	68	64	61
	20	18	15	9	5	4	3	30	28	22	18	15	11	42	40	36	32	29	26	55	55	50	47	43	42	72	72	68	64	64	61
1200	5	0	0	0	0	0	0	0	0	0	0	0	1	3	3	4	4	4	4	23	18	14	12	11	11	55	50	38	32	28	25
	10	0	0	0	0	0	0	6	4	3	3	2	2	25	21	13	10	9	7	47	42	33	28	23	20	72	68	61	55	50	45

	15	3	2	0	0	0	0	20	16	9	6	5	4	36	32	25	20	16	13	52	50	43	38	34	31	77	72	64	61	57	55
	20	12	9	4	2	1	1	26	23	16	12	9	7	38	36	31	27	23	20	52	50	45	42	38	36	72	68	64	61	57	55
1400	5	0	0	0	0	0	0	0	0	0	0	0	0	0	0	2	3	3	3	13	11	10	9	9	9	45	40	30	25	23	21
	10	0	0	0	0	0	0	0	0	1	1	1	1	17	13	8	7	6	5	40	36	25	21	17	15	68	64	55	47	42	38
	15	0	0	0	0	0	0	13	9	5	3	3	2	31	26	18	14	11	9	47	45	37	33	28	24	72	68	61	55	52	47
	20	6	3	1	0	0	0	21	18	10	7	5	4	34	32	26	21	18	14	50	47	42	38	34	31	68	64	61	57	55	52
1600	5	0	0	0	0	0	0	0	0	0	0	0	0	0	0	0	1	2	3	5	6	7	7	7	7	36	31	23	20	19	17
	10	0	0	0	0	0	0	0	0	0	0	0	0	8	6	5	4	4	4	33	28	19	15	13	11	61	57	47	40	36	31
	15	0	0	0	0	0	0	5	3	2	1	1	1	25	20	12	9	7	6	43	40	32	27	22	18	64	64	55	50	47	42
	20	0	0	0	0	0	0	16	12	5	4	3	2	31	28	21	16	12	9	45	43	37	33	30	26	64	61	57	52	50	47
1800	5	0	0	0	0	0	0	0	0	0	0	0	0	0	0	0	0	1	2	0	2	5	5	6	6	25	21	17	16	15	15
	10	0	0	0	0	0	0	0	0	0	0	0	0	1	2	2	3	3	3	25	20	13	11	10	9	55	50	40	33	29	25
	15	0	0	0	0	0	0	0	0	0	0	0	0	18	13	7	6	5	4	38	34	26	21	16	13	61	57	50	45	42	37
	20	0	0	0	0	0	0	9	5	2	1	1	1	27	23	15	10	8	6	42	40	33	29	25	21	61	57	52	50	45	43
2000	5	0	0	0	0	0	0	0	0	0	0	0	0	0	0	0	0	0	1	0	0	3	4	5	5	13	13	13	13	13	13
	10	0	0	0	0	0	0	0	0	0	0	0	0	0	0	1	1	2	2	16	12	9	8	7	7	47	43	33	27	23	20
	15	0	0	0	0	0	0	0	0	0	0	0	0	10	6	4	3	3	3	33	29	20	15	12	10	57	55	45	40	36	32
	20	0	0	0	0	0	0	1	0	0	0	0	0	23	18	10	6	5	4	38	36	29	24	20	16	57	55	50	45	42	38

续表 C. 0. 3-3

外径(mm)	外管厚度(mm)	荷载比 0.4						荷载比 0.5						荷载比 0.6						荷载比 0.7						荷载比 0.8					
		配筋率						配筋率						配筋率						配筋率						配筋率					
		0.00	0.006	0.02	0.03	0.04	0.05	0.00	0.006	0.02	0.03	0.04	0.05	0.00	0.006	0.02	0.03	0.04	0.05	0.00	0.006	0.02	0.03	0.04	0.05	0.00	0.006	0.02	0.03	0.04	0.05
2200	5	0	0	0	0	0	0	0	0	0	0	0	0	0	0	0	0	0	0	0	0	1	3	4	4	4	7	10	10	11	11
	10	0	0	0	0	0	0	0	0	0	0	0	0	0	0	0	0	1	1	6	6	6	6	6	6	42	37	27	22	19	16
	15	0	0	0	0	0	0	0	0	0	0	0	0	1	1	2	2	2	2	29	24	15	11	9	8	52	50	42	36	31	27
	20	0	0	0	0	0	0	0	0	0	0	0	0	17	12	5	4	3	3	36	32	25	20	15	12	55	52	45	42	38	34
2400	5	0	0	0	0	0	0	0	0	0	0	0	0	0	0	0	0	0	0	0	0	0	2	3	4	0	4	8	9	10	10
	10	0	0	0	0	0	0	0	0	0	0	0	0	0	0	0	0	0	1	0	2	4	4	5	5	37	31	21	18	16	14
	15	0	0	0	0	0	0	0	0	0	0	0	0	0	0	0	1	1	1	23	18	10	8	7	6	50	45	37	32	26	23
	20	0	0	0	0	0	0	0	0	0	0	0	0	11	6	3	2	2	2	33	29	21	15	11	9	52	50	43	38	36	31
2600	5	0	0	0	0	0	0	0	0	0	0	0	0	0	0	0	0	0	0	0	0	0	1	3	3	0	2	7	8	9	10
	10	0	0	0	0	0	0	0	0	0	0	0	0	0	0	0	0	0	0	0	0	3	3	4	4	31	25	17	15	13	13
	15	0	0	0	0	0	0	0	0	0	0	0	0	0	0	0	0	0	1	18	13	7	6	6	5	45	42	33	27	23	19
	20	0	0	0	0	0	0	0	0	0	0	0	0	3	2	1	1	1	1	30	25	16	11	9	7	50	47	40	36	32	28

注：如果保护层厚度小于设计、施工或成品要求的最小厚度，按后者取值。

表 C.0.3-4 耐火等级为 3h 时水泥砂浆保护层厚度 d（mm）（钢筋保护层厚度 50mm）

外径 (mm)	外管厚度 (mm)	荷载比 0.4						荷载比 0.5						荷载比 0.6						荷载比 0.7						荷载比 0.8					
		配筋率						配筋率						配筋率						配筋率						配筋率					
		0.00	0.006	0.02	0.03	0.04	0.05	0.00	0.006	0.02	0.03	0.04	0.05	0.00	0.006	0.02	0.03	0.04	0.05	0.00	0.006	0.02	0.03	0.04	0.05	0.00	0.006	0.02	0.03	0.04	0.05
600	5	6	3	1	0	0	0	19	13	7	5	4	3	37	31	20	15	11	9	61	55	43	36	30	25	95	88	77	68	61	55
	10	21	16	9	5	3	2	36	31	23	18	13	10	50	47	40	36	31	27	68	68	61	55	52	47	95	95	88	82	77	72
	15	27	25	19	14	10	7	38	37	32	28	25	21	52	50	45	42	40	37	68	64	61	57	55	52	88	88	82	82	77	77
	20	29	27	23	20	17	14	38	37	34	32	30	27	50	47	45	43	42	40	64	61	57	57	55	52	82	82	77	77	72	72
800	5	0	0	0	0	0	0	6	3	1	1	0	0	21	16	9	6	5	4	45	38	27	21	16	13	77	72	57	52	45	38
	10	9	5	1	0	0	0	25	20	11	7	4	3	42	37	29	23	18	13	61	57	50	43	40	34	88	82	77	72	68	61
	15	19	16	7	4	2	1	32	30	23	18	13	9	45	43	38	34	30	26	61	61	55	52	47	45	82	82	77	72	72	68
	20	24	21	15	11	7	4	34	33	28	25	21	18	45	43	40	37	34	32	57	57	55	52	50	47	77	77	72	72	68	64
1000	5	0	0	0	0	0	0	0	0	0	0	0	0	10	7	4	3	2	2	33	26	16	12	9	8	64	57	47	38	32	27
	10	1	0	0	0	0	0	15	10	4	2	1	0	33	29	18	13	9	6	52	50	40	34	29	24	82	77	68	61	57	52
	15	11	7	1	0	0	0	26	23	14	9	5	3	40	37	31	26	21	17	57	55	47	43	40	37	77	77	72	68	64	61
	20	18	15	7	3	1	0	30	28	22	18	13	9	42	40	36	32	29	25	55	55	50	47	43	42	72	72	68	64	64	61
1200	5	0	0	0	0	0	0	0	0	0	0	0	0	3	2	1	1	1	1	23	17	10	7	6	5	55	50	36	29	23	19
	10	0	0	0	0	0	0	6	3	0	0	0	0	25	20	10	6	4	3	47	42	32	25	20	15	72	68	61	55	50	43

续表 C. 0. 3-4

外径 (mm)	外管厚度 (mm)	荷载比 0.4						荷载比 0.5						荷载比 0.6						荷载比 0.7						荷载比 0.8					
		配筋率						配筋率						配筋率						配筋率						配筋率					
		0.00	0.006	0.02	0.03	0.04	0.05	0.00	0.006	0.02	0.03	0.04	0.05	0.00	0.006	0.02	0.03	0.04	0.05	0.00	0.006	0.02	0.03	0.04	0.05	0.00	0.006	0.02	0.03	0.04	0.05
1200	15	3	0	0	0	0	0	20	15	6	3	1	0	36	32	24	18	13	9	52	50	43	38	33	30	77	72	64	61	57	55
	20	12	8	1	0	0	0	26	23	16	10	6	3	38	36	31	26	23	19	52	50	45	42	38	36	72	68	64	61	57	55
1400	5	0	0	0	0	0	0	0	0	0	0	0	0	0	0	0	0	0	0	13	9	6	5	4	4	45	40	27	21	16	14
	10	0	0	0	0	0	0	0	0	0	0	0	0	17	12	5	3	2	1	40	36	24	17	13	9	68	64	52	47	42	36
	15	0	0	0	0	0	0	13	8	2	0	0	0	31	26	17	11	7	4	47	45	37	32	27	22	72	68	61	55	52	47
	20	6	2	0	0	0	0	21	18	9	4	2	0	34	32	25	21	16	11	50	47	42	37	34	31	68	64	61	57	55	52
1600	5	0	0	0	0	0	0	0	0	0	0	0	0	0	0	0	0	0	0	5	4	3	3	3	3	36	29	18	14	12	10
	10	0	0	0	0	0	0	0	0	0	0	0	0	8	5	2	1	0	0	33	27	16	10	7	6	61	55	45	40	33	28
	15	0	0	0	0	0	0	5	2	0	0	0	0	25	20	9	5	3	2	43	40	31	25	20	15	64	64	55	50	45	42
	20	0	0	0	0	0	0	16	11	3	1	0	0	31	28	20	15	9	5	45	43	37	33	29	25	64	61	57	52	50	47
1800	5	0	0	0	0	0	0	0	0	0	0	0	0	0	0	0	0	0	0	0	0	1	1	1	2	25	19	11	10	9	8
	10	0	0	0	0	0	0	0	0	0	0	0	0	1	0	0	0	0	0	25	19	9	6	4	4	55	50	38	32	25	20
	15	0	0	0	0	0	0	0	0	0	0	0	0	18	12	4	2	1	0	38	34	25	18	13	9	61	57	50	45	40	36
	20	0	0	0	0	0	0	9	4	0	0	0	0	27	23	14	7	4	2	42	40	33	29	24	19	61	57	52	50	45	42

2000	5	0	0	0	0	0	0	0	0	0	0	0	0	0	0	0	0	0	0	0	0	0	0	1	1	13	10	7	7	6	6
	10	0	0	0	0	0	0	0	0	0	0	0	0	0	0	0	0	0	0	16	10	4	3	3	2	47	43	31	24	18	13
	15	0	0	0	0	0	0	0	0	0	0	0	0	10	4	1	0	0	0	33	29	18	11	7	5	57	55	45	40	34	30
	20	0	0	0	0	0	0	1	0	0	0	0	0	23	18	7	3	1	0	38	36	29	23	18	13	57	55	50	45	42	38
2200	5	0	0	0	0	0	0	0	0	0	0	0	0	0	0	0	0	0	0	0	0	0	0	0	0	4	4	5	5	5	5
	10	0	0	0	0	0	0	0	0	0	0	0	0	0	0	0	0	0	0	6	3	2	1	1	1	42	37	24	17	12	10
	15	0	0	0	0	0	0	0	0	0	0	0	0	1	0	0	0	0	0	29	23	11	6	4	3	52	50	40	34	30	24
	20	0	0	0	0	0	0	0	0	0	0	0	0	17	11	2	0	0	0	36	32	24	18	12	7	55	52	45	42	38	34
2400	5	0	0	0	0	0	0	0	0	0	0	0	0	0	0	0	0	0	0	0	0	0	0	0	0	0	1	3	4	4	4
	10	0	0	0	0	0	0	0	0	0	0	0	0	0	0	0	0	0	0	0	0	0	0	0	0	37	31	17	11	9	7
	15	0	0	0	0	0	0	0	0	0	0	0	0	0	0	0	0	0	0	23	17	6	3	2	2	50	45	37	30	24	18
	20	0	0	0	0	0	0	0	0	0	0	0	0	11	4	0	0	0	0	33	29	20	12	7	4	52	50	43	38	34	30
2600	5	0	0	0	0	0	0	0	0	0	0	0	0	0	0	0	0	0	0	0	0	0	0	0	0	0	0	2	3	3	3
	10	0	0	0	0	0	0	0	0	0	0	0	0	0	0	0	0	0	0	0	0	0	0	0	0	31	24	12	8	7	6
	15	0	0	0	0	0	0	0	0	0	0	0	0	0	0	0	0	0	0	18	10	3	2	1	1	45	42	32	25	19	13
	20	0	0	0	0	0	0	0	0	0	0	0	0	3	0	0	0	0	0	30	25	15	7	4	2	50	47	40	36	31	26

注：如果保护层厚度小于设计、施工或成品要求的最小厚度，按后者取值。

C. 0. 4 钢管外壁没有保护层涂料时，内配单层圆钢管的实心圆形钢管混凝土构件的耐火时间可按表 C. 0. 4-1 和表 C. 0. 4-2 取值。

表 C. 0. 4-1 不同荷载比下构件的耐火时间 t (min)（夹芯层混凝土厚度 150mm）

外径(mm)	外管厚度(mm)	荷载比 0.4						荷载比 0.5						荷载比 0.6						荷载比 0.7						荷载比 0.8					
		配钢率						配钢率						配钢率						配钢率						配钢率					
		0.00	0.02	0.03	0.04	0.05	0.06	0.00	0.02	0.03	0.04	0.05	0.06	0.00	0.02	0.03	0.04	0.05	0.06	0.00	0.02	0.03	0.04	0.05	0.06	0.00	0.02	0.03	0.04	0.05	0.06
600	5	103	217	>240	>240	>240	>240	54	105	142	186	>240	>240	32	50	64	81	101	125	21	28	32	37	42	49	14	17	19	20	22	23
	10	50	88	120	161	214	>240	33	45	54	66	81	101	25	30	32	36	40	44	19	21	23	24	25	27	14	15	16	17	17	18
	15	41	54	63	77	96	120	31	36	39	43	47	52	24	27	28	30	32	33	19	21	22	22	23	24	15	16	16	17	17	18
	20	39	46	50	55	61	70	31	34	36	38	40	42	25	27	28	29	30	31	20	22	22	23	23	24	16	17	17	18	18	18
800	5	231	>240	>240	>240	>240	>240	104	>240	>240	>240	>240	>240	49	102	144	199	>240	>240	27	41	52	68	88	113	17	21	24	27	30	34
	10	86	218	>240	>240	>240	>240	44	80	116	168	239	>240	29	39	46	57	71	93	21	25	27	30	33	36	15	17	18	19	20	21
	15	53	96	142	210	>240	>240	36	46	55	67	86	115	27	31	34	37	41	45	21	23	24	26	27	29	16	17	18	18	19	20
	20	45	61	76	99	137	194	34	40	44	48	53	61	27	30	32	33	35	37	22	23	24	25	26	27	17	18	18	19	19	20
1000	5	>240	>240	>240	>240	>240	>240	199	>240	>240	>240	>240	>240	78	195	>240	>240	>240	>240	35	66	93	131	183	>240	20	26	31	37	44	53
	10	168	>240	>240	>240	>240	>240	63	165	>240	>240	>240	>240	35	56	77	111	164	239	24	30	34	39	45	54	16	19	21	22	24	25
	15	76	210	>240	>240	>240	>240	42	67	94	142	219	>240	30	37	42	48	58	71	22	26	27	29	32	34	17	18	19	20	21	22
	20	55	100	155	>240	>240	>240	38	48	56	67	87	119	29	33	36	39	42	46	23	25	26	28	29	30	18	19	20	20	21	22

1200	5	>240	>240	>240	>240	>240	>240	>240	>240	>240	>240	>240	>240	128	>240	>240	>240	>240	>240	47	108	164	239	>240	>240	23	33	41	52	68	89
	10	>240	>240	>240	>240	>240	>240	102	>240	>240	>240	>240	>240	43	91	146	232	>240	>240	26	36	43	54	71	97	18	21	23	25	28	30
	15	127	>240	>240	>240	>240	>240	52	115	195	>240	>240	>240	33	45	55	72	101	152	24	28	31	34	38	42	17	20	21	22	23	24
	20	71	199	>240	>240	>240	>240	42	61	82	121	196	>240	31	37	41	46	53	62	24	27	29	30	32	34	18	20	21	22	23	23
1400	5	>240	>240	>240	>240	>240	>240	>240	>240	>240	>240	>240	>240	224	>240	>240	>240	>240	>240	67	179	>240	>240	>240	>240	27	44	59	82	114	159
	10	>240	>240	>240	>240	>240	>240	183	>240	>240	>240	>240	>240	57	164	>240	>240	>240	>240	30	46	61	87	132	204	19	24	26	29	33	37
	15	>240	>240	>240	>240	>240	>240	69	223	>240	>240	>240	>240	37	59	84	133	221	>240	26	32	36	41	47	56	18	21	23	24	26	27
	20	106	>240	>240	>240	>240	>240	49	90	152	>240	>240	>240	34	43	50	59	76	106	25	29	31	34	37	40	19	21	22	23	24	25
1600	5	>240	>240	>240	>240	>240	>240	>240	>240	>240	>240	>240	>240	>240	>240	>240	>240	>240	>240	108	>240	>240	>240	>240	>240	33	65	96	142	205	>240
	10	>240	>240	>240	>240	>240	>240	>240	>240	>240	>240	>240	>240	88	>240	>240	>240	>240	>240	35	66	104	169	>240	>240	21	27	31	35	41	49
	15	>240	>240	>240	>240	>240	>240	111	>240	>240	>240	>240	>240	44	92	161	>240	>240	>240	28	37	43	52	67	93	20	23	25	27	29	31
	20	200	>240	>240	>240	>240	>240	60	169	>240	>240	>240	>240	37	51	65	91	147	>240	27	32	35	38	42	48	20	22	24	25	26	27
1800	5	>240	>240	>240	>240	>240	>240	>240	>240	>240	>240	>240	>240	>240	>240	>240	>240	>240	>240	197	>240	>240	>240	>240	>240	44	111	170	>240	>240	>240
	10	>240	>240	>240	>240	>240	>240	>240	>240	>240	>240	>240	>240	166	>240	>240	>240	>240	>240	44	117	202	>240	>240	>240	23	31	37	45	58	80
	15	>240	>240	>240	>240	>240	>240	224	>240	>240	>240	>240	>240	55	179	>240	>240	>240	>240	31	44	56	79	127	210	21	25	27	30	32	36
	20	>240	>240	>240	>240	>240	>240	84	>240	>240	>240	>240	>240	41	67	107	193	>240	>240	29	35	39	45	52	63	21	24	25	27	28	30
2000	5	>240	>240	>240	>240	>240	>240	>240	>240	>240	>240	>240	>240	>240	>240	>240	>240	>240	>240	>240	>240	>240	>240	>240	>240	67	193	>240	>240	>240	>240
	10	>240	>240	>240	>240	>240	>240	>240	>240	>240	>240	>240	>240	>240	>240	>240	>240	>240	>240	61	221	>240	>240	>240	>240	26	37	48	68	106	170
	15	>240	>240	>240	>240	>240	>240	>240	>240	>240	>240	>240	>240	82	>240	>240	>240	>240	>240	35	57	90	165	>240	>240	22	27	30	33	38	43
	20	>240	>240	>240	>240	>240	>240	158	>240	>240	>240	>240	>240	47	114	227	>240	>240	>240	31	39	46	55	72	110	22	25	27	29	31	33

续表 C. 0. 4-1

外径(mm)	外管厚度(mm)	荷载比 0.4						荷载比 0.5						荷载比 0.6						荷载比 0.7						荷载比 0.8					
		配钢率						配钢率						配钢率						配钢率						配钢率					
		0.00	0.02	0.03	0.04	0.05	0.06	0.00	0.02	0.03	0.04	0.05	0.06	0.00	0.02	0.03	0.04	0.05	0.06	0.00	0.02	0.03	0.04	0.05	0.06	0.00	0.02	0.03	0.04	0.05	0.06
2200	5	>240	>240	>240	>240	>240	>240	>240	>240	>240	>240	>240	>240	>240	>240	>240	>240	>240	>240	>240	>240	>240	>240	>240	>240	121	>240	>240	>240	>240	>240
	10	>240	>240	>240	>240	>240	>240	>240	>240	>240	>240	>240	>240	>240	>240	>240	>240	>240	>240	105	>240	>240	>240	>240	>240	29	47	73	133	226	>240
	15	>240	>240	>240	>240	>240	>240	>240	>240	>240	>240	>240	>240	163	>240	>240	>240	>240	>240	39	89	189	>240	>240	>240	24	30	34	38	45	55
	20	>240	>240	>240	>240	>240	>240	>240	>240	>240	>240	>240	>240	57	235	>240	>240	>240	>240	33	45	56	78	144	>240	23	27	29	31	34	37
2400	5	>240	>240	>240	>240	>240	>240	>240	>240	>240	>240	>240	>240	>240	>240	>240	>240	>240	>240	>240	>240	>240	>240	>240	>240	223	>240	>240	>240	>240	>240
	10	>240	>240	>240	>240	>240	>240	>240	>240	>240	>240	>240	>240	>240	>240	>240	>240	>240	>240	217	>240	>240	>240	>240	>240	32	68	143	>240	>240	>240
	15	>240	>240	>240	>240	>240	>240	>240	>240	>240	>240	>240	>240	>240	>240	>240	>240	>240	>240	46	182	>240	>240	>240	>240	25	33	38	45	58	87
	20	>240	>240	>240	>240	>240	>240	>240	>240	>240	>240	>240	>240	75	>240	>240	>240	>240	>240	35	53	76	165	>240	>240	24	28	31	34	37	41
2600	5	>240	>240	>240	>240	>240	>240	>240	>240	>240	>240	>240	>240	>240	>240	>240	>240	>240	>240	>240	>240	>240	>240	>240	>240	>240	>240	>240	>240	>240	>240
	10	>240	>240	>240	>240	>240	>240	>240	>240	>240	>240	>240	>240	>240	>240	>240	>240	>240	>240	>240	>240	>240	>240	>240	>240	37	125	>240	>240	>240	>240
	15	>240	>240	>240	>240	>240	>240	>240	>240	>240	>240	>240	>240	>240	>240	>240	>240	>240	>240	55	>240	>240	>240	>240	>240	27	36	44	57	93	215
	20	>240	>240	>240	>240	>240	>240	>240	>240	>240	>240	>240	>240	130	>240	>240	>240	>240	>240	38	66	149	>240	>240	>240	25	30	33	37	41	47

注：1　荷载比为荷载设计值与构件承载力设计值的比值；

2　夹芯层混凝土厚度指外钢管内表面和内钢管外表面之间的距离。

表 C.0.4-2 不同荷载比下构件的耐火时间 t (min)（夹芯层混凝土厚度 200mm）

外径(mm)	外管厚度(mm)	荷载比0.4						荷载比0.5						荷载比0.6						荷载比0.7						荷载比0.8					
		配钢率						配钢率						配钢率						配钢率						配钢率					
		0.00	0.02	0.03	0.04	0.05	0.06	0.00	0.02	0.03	0.04	0.05	0.06	0.00	0.02	0.03	0.04	0.05	0.06	0.00	0.02	0.03	0.04	0.05	0.06	0.00	0.02	0.03	0.04	0.05	0.06
600	5	103	219	>240	>240	>240	>240	54	105	139	177	219	>240	32	50	63	79	96	114	21	28	32	36	42	47	14	17	19	20	22	23
	10	50	88	118	154	194	237	33	45	53	65	79	95	25	30	32	36	39	44	19	21	23	24	25	27	14	15	16	17	17	18
	15	41	53	63	76	93	112	31	36	39	43	47	52	24	27	28	30	32	33	19	21	22	22	23	24	15	16	16	17	17	18
	20	39	46	50	55	61	69	31	34	36	38	40	42	25	27	28	29	30	31	20	22	22	23	23	24	16	17	17	18	18	18
800	5	231	>240	>240	>240	>240	>240	104	>240	>240	>240	>240	>240	49	102	145	204	>240	>240	27	41	52	67	86	109	17	21	24	27	30	34
	10	86	227	>240	>240	>240	>240	44	80	116	169	>240	>240	29	39	46	56	71	91	21	25	27	30	33	36	15	17	18	19	20	21
	15	53	96	142	214	>240	>240	36	46	55	67	85	112	27	31	34	37	41	45	21	23	24	26	27	28	16	17	18	18	19	20
	20	45	61	76	98	135	189	34	40	43	48	53	60	27	30	32	33	35	37	22	23	24	25	26	27	17	18	18	19	19	20
1000	5	>240	>240	>240	>240	>240	>240	199	>240	>240	>240	>240	>240	78	206	>240	>240	>240	>240	35	66	94	132	186	>240	20	26	31	36	43	52
	10	168	>240	>240	>240	>240	>240	63	170	>240	>240	>240	>240	35	56	77	111	165	>240	24	30	34	39	45	54	16	19	21	22	24	25
	15	76	221	>240	>240	>240	>240	42	67	94	144	227	>240	30	37	42	48	57	71	22	26	27	29	32	34	17	18	19	20	21	22
	20	55	100	158	>240	>240	>240	38	48	56	67	86	118	29	33	36	39	42	46	23	25	26	28	29	30	18	19	20	20	21	22
1200	5	>240	>240	>240	>240	>240	>240	>240	>240	>240	>240	>240	>240	128	>240	>240	>240	>240	>240	47	110	170	>240	>240	>240	23	33	41	52	68	88
	10	>240	>240	>240	>240	>240	>240	102	>240	>240	>240	>240	>240	43	91	150	>240	>240	>240	26	36	43	54	70	96	18	21	23	25	27	30

续表 C.0.4-2

外径 (mm)	外管厚度 (mm)	荷载比 0.4						荷载比 0.5						荷载比 0.6						荷载比 0.7						荷载比 0.8					
		配钢率						配钢率						配钢率						配钢率						配钢率					
		0.00	0.02	0.03	0.04	0.05	0.06	0.00	0.02	0.03	0.04	0.05	0.06	0.00	0.02	0.03	0.04	0.05	0.06	0.00	0.02	0.03	0.04	0.05	0.06	0.00	0.02	0.03	0.04	0.05	0.06
1200	15	127	>240	>240	>240	>240	>240	52	116	206	>240	>240	>240	33	45	55	71	101	152	24	28	31	34	38	42	17	20	21	22	23	24
	20	71	209	>240	>240	>240	>240	42	61	82	122	201	>240	31	37	41	46	53	62	24	27	29	30	32	34	18	20	21	22	23	23
1400	5	>240	>240	>240	>240	>240	>240	>240	>240	>240	>240	>240	>240	224	>240	>240	>240	>240	>240	67	190	>240	>240	>240	>240	27	44	59	82	114	160
	10	>240	>240	>240	>240	>240	>240	183	>240	>240	>240	>240	>240	57	171	>240	>240	>240	>240	30	46	61	88	133	209	19	24	26	29	33	37
	15	>240	>240	>240	>240	>240	>240	69	>240	>240	>240	>240	>240	37	59	84	135	233	>240	26	32	36	41	47	56	18	21	23	24	26	27
	20	106	>240	>240	>240	>240	>240	49	91	156	>240	>240	>240	34	43	49	59	75	105	25	29	31	34	37	40	19	21	22	23	24	25
1600	5	>240	>240	>240	>240	>240	>240	>240	>240	>240	>240	>240	>240	>240	>240	>240	>240	>240	>240	108	>240	>240	>240	>240	>240	33	65	97	144	213	>240
	10	>240	>240	>240	>240	>240	>240	>240	>240	>240	>240	>240	>240	88	>240	>240	>240	>240	>240	35	66	105	175	>240	>240	21	27	31	35	41	49
	15	>240	>240	>240	>240	>240	>240	111	>240	>240	>240	>240	>240	44	92	166	>240	>240	>240	28	37	43	52	67	93	20	23	25	27	29	31
	20	200	>240	>240	>240	>240	>240	60	176	>240	>240	>240	>240	37	51	65	91	148	>240	27	32	35	38	42	48	20	22	24	25	26	27
1800	5	>240	>240	>240	>240	>240	>240	>240	>240	>240	>240	>240	>240	>240	>240	>240	>240	>240	>240	197	>240	>240	>240	>240	>240	44	113	178	>240	>240	>240
	10	>240	>240	>240	>240	>240	>240	>240	>240	>240	>240	>240	>240	166	>240	>240	>240	>240	>240	44	119	215	>240	>240	>240	23	31	37	45	58	80
	15	>240	>240	>240	>240	>240	>240	224	>240	>240	>240	>240	>240	55	188	>240	>240	>240	>240	31	44	56	79	127	215	21	25	27	30	32	36
	20	>240	>240	>240	>240	>240	>240	84	>240	>240	>240	>240	>240	41	67	107	201	>240	>240	29	35	39	45	52	63	21	24	25	27	28	30

2000	5	>240	>240	>240	>240	>240	>240	>240	>240	>240	>240	>240	>240	>240	>240	>240	>240	>240	>240	>240	>240	>240	>240	>240	>240	67	208	>240	>240	>240	>240
	10	>240	>240	>240	>240	>240	>240	>240	>240	>240	>240	>240	>240	>240	>240	>240	>240	>240	>240	61	>240	>240	>240	>240	>240	26	37	48	68	106	171
	15	>240	>240	>240	>240	>240	>240	>240	>240	>240	>240	>240	>240	82	>240	>240	>240	>240	>240	35	57	90	169	>240	>240	22	27	30	33	38	43
	20	>240	>240	>240	>240	>240	>240	158	>240	>240	>240	>240	>240	47	115	>240	>240	>240	>240	31	39	46	55	72	110	22	25	27	29	31	33
2200	5	>240	>240	>240	>240	>240	>240	>240	>240	>240	>240	>240	>240	>240	>240	>240	>240	>240	>240	>240	>240	>240	>240	>240	>240	121	>240	>240	>240	>240	>240
	10	>240	>240	>240	>240	>240	>240	>240	>240	>240	>240	>240	>240	>240	>240	>240	>240	>240	>240	105	>240	>240	>240	>240	>240	29	48	73	134	235	>240
	15	>240	>240	>240	>240	>240	>240	>240	>240	>240	>240	>240	>240	163	>240	>240	>240	>240	>240	39	90	199	>240	>240	>240	24	30	34	38	45	55
	20	>240	>240	>240	>240	>240	>240	>240	>240	>240	>240	>240	>240	57	>240	>240	>240	>240	>240	33	45	56	78	146	>240	23	27	29	31	34	37
2400	5	>240	>240	>240	>240	>240	>240	>240	>240	>240	>240	>240	>240	>240	>240	>240	>240	>240	>240	>240	>240	>240	>240	>240	>240	223	>240	>240	>240	>240	>240
	10	>240	>240	>240	>240	>240	>240	>240	>240	>240	>240	>240	>240	>240	>240	>240	>240	>240	>240	217	>240	>240	>240	>240	>240	32	68	148	>240	>240	>240
	15	>240	>240	>240	>240	>240	>240	>240	>240	>240	>240	>240	>240	>240	>240	>240	>240	>240	>240	46	195	>240	>240	>240	>240	25	33	38	45	58	87
	20	>240	>240	>240	>240	>240	>240	>240	>240	>240	>240	>240	>240	75	>240	>240	>240	>240	>240	35	53	76	169	>240	>240	24	28	31	34	37	41
2600	5	>240	>240	>240	>240	>240	>240	>240	>240	>240	>240	>240	>240	>240	>240	>240	>240	>240	>240	>240	>240	>240	>240	>240	>240	>240	>240	>240	>240	>240	>240
	10	>240	>240	>240	>240	>240	>240	>240	>240	>240	>240	>240	>240	>240	>240	>240	>240	>240	>240	>240	>240	>240	>240	>240	>240	37	130	>240	>240	>240	>240
	15	>240	>240	>240	>240	>240	>240	>240	>240	>240	>240	>240	>240	>240	>240	>240	>240	>240	>240	55	>240	>240	>240	>240	>240	27	36	44	57	93	218
	20	>240	>240	>240	>240	>240	>240	>240	>240	>240	>240	>240	>240	130	>240	>240	>240	>240	>240	38	66	154	>240	>240	>240	25	30	33	37	41	47

注：1　荷载比为荷载设计值与构件承载力设计值的比值；

2　夹芯层混凝土厚度指外钢管内表面和内钢管外表面之间的距离。

C.0.5 当防火材料为非膨胀型涂料时，内配单层圆钢管的实心圆形钢管混凝土构件保护层厚度可按表 C.0.5-1～表 C.0.5-4 取值。

表 C.0.5-1 耐火等级为 2.5h 时非膨胀型防火涂料厚度 *d*（mm）（夹芯层混凝土厚度 150mm）

外径(mm)	外管厚度(mm)	荷载比 0.4						荷载比 0.5						荷载比 0.6						荷载比 0.7						荷载比 0.8					
		配钢率						配钢率						配钢率						配钢率						配钢率					
		0.00	0.02	0.03	0.04	0.05	0.06	0.00	0.02	0.03	0.04	0.05	0.06	0.00	0.02	0.03	0.04	0.05	0.06	0.00	0.02	0.03	0.04	0.05	0.06	0.00	0.02	0.03	0.04	0.05	0.06
600	5	1	0	0	0	0	0	3	1	0	0	0	0	7	4	3	2	1	0	11	8	7	6	5	4	18	15	13	12	11	10
	10	4	1	0	0	0	0	7	4	3	2	2	1	10	8	7	6	5	5	13	12	11	10	9	9	19	17	16	15	15	14
	15	5	3	3	2	1	0	7	6	5	5	4	4	10	9	8	8	7	7	13	12	11	11	10	10	18	16	16	15	15	14
	20	5	4	4	3	3	2	7	6	6	6	5	5	10	9	8	8	8	7	12	11	11	11	10	10	16	15	15	14	14	14
800	5	0	0	0	0	0	0	1	0	0	0	0	0	4	1	0	0	0	0	9	5	4	2	1	1	15	11	10	9	8	6
	10	1	0	0	0	0	0	5	2	1	0	0	0	8	5	4	3	2	1	12	9	9	8	7	6	17	15	14	13	12	11
	15	3	1	0	0	0	0	6	4	3	2	1	1	9	7	6	6	5	4	12	10	10	9	9	8	16	15	14	14	13	13
	20	4	3	2	1	0	0	7	5	5	4	3	3	9	8	7	7	6	6	11	10	10	9	9	9	15	14	14	13	13	12
1000	5	0	0	0	0	0	0	0	0	0	0	0	0	2	0	0	0	0	0	6	2	1	0	0	0	13	9	7	6	5	3
	10	0	0	0	0	0	0	3	0	0	0	0	0	6	3	2	1	0	0	10	8	7	5	4	3	15	13	12	11	10	9
	15	2	0	0	0	0	0	5	2	1	0	0	0	8	6	5	4	3	2	11	9	8	8	7	6	15	14	13	12	12	11
	20	3	1	0	0	0	0	6	4	3	2	1	0	8	7	6	5	5	4	11	9	9	8	8	7	14	13	13	12	12	11

1200	5	0	0	0	0	0	0	0	0	0	0	0	0	0	0	0	0	0	0	4	1	0	0	0	0	11	7	5	4	2	1
	10	0	0	0	0	0	0	1	0	0	0	0	0	5	1	0	0	0	0	9	6	5	3	2	1	14	12	10	9	8	8
	15	0	0	0	0	0	0	4	1	0	0	0	0	7	4	3	2	1	0	10	8	7	6	6	5	14	13	12	11	10	10
	20	2	0	0	0	0	0	5	3	2	0	0	0	7	6	5	4	3	3	10	9	8	7	7	6	14	12	12	11	11	10
1400	5	0	0	0	0	0	0	0	0	0	0	0	0	0	0	0	0	0	0	2	0	0	0	0	0	9	5	3	2	1	0
	10	0	0	0	0	0	0	0	0	0	0	0	0	3	0	0	0	0	0	8	4	3	1	0	0	13	10	9	8	7	6
	15	0	0	0	0	0	0	2	0	0	0	0	0	6	3	2	0	0	0	9	7	6	5	4	3	14	12	11	10	9	9
	20	1	0	0	0	0	0	4	1	0	0	0	0	7	5	4	3	2	1	9	8	7	7	6	5	13	12	11	10	10	9
1600	5	0	0	0	0	0	0	0	0	0	0	0	0	0	0	0	0	0	0	1	0	0	0	0	0	7	3	1	0	0	0
	10	0	0	0	0	0	0	0	0	0	0	0	0	1	0	0	0	0	0	6	2	1	0	0	0	12	9	7	6	5	4
	15	0	0	0	0	0	0	1	0	0	0	0	0	5	1	0	0	0	0	8	6	5	4	2	1	13	11	10	9	8	7
	20	0	0	0	0	0	0	3	0	0	0	0	0	6	4	3	1	0	0	9	7	6	6	5	4	12	11	10	10	9	9
1800	5	0	0	0	0	0	0	0	0	0	0	0	0	0	0	0	0	0	0	0	0	0	0	0	0	5	1	0	0	0	0
	10	0	0	0	0	0	0	0	0	0	0	0	0	0	0	0	0	0	0	5	1	0	0	0	0	10	7	6	4	3	2
	15	0	0	0	0	0	0	0	0	0	0	0	0	3	0	0	0	0	0	7	5	3	2	0	0	12	10	9	8	7	6
	20	0	0	0	0	0	0	2	0	0	0	0	0	5	2	1	0	0	0	8	6	5	4	4	3	12	10	9	9	8	8
2000	5	0	0	0	0	0	0	0	0	0	0	0	0	0	0	0	0	0	0	0	0	0	0	0	0	2	0	0	0	0	0
	10	0	0	0	0	0	0	0	0	0	0	0	0	0	0	0	0	0	0	3	0	0	0	0	0	9	6	4	2	1	0
	15	0	0	0	0	0	0	0	0	0	0	0	0	2	0	0	0	0	0	6	3	1	0	0	0	11	9	8	7	6	5
	20	0	0	0	0	0	0	0	0	0	0	0	0	4	1	0	0	0	0	7	5	4	3	2	1	11	9	9	8	7	7

续表 C.0.5-1

外径(mm)	外管厚度(mm)	荷载比0.4						荷载比0.5						荷载比0.6						荷载比0.7						荷载比0.8					
		配钢率						配钢率						配钢率						配钢率						配钢率					
		0.00	0.02	0.03	0.04	0.05	0.06	0.00	0.02	0.03	0.04	0.05	0.06	0.00	0.02	0.03	0.04	0.05	0.06	0.00	0.02	0.03	0.04	0.05	0.06	0.00	0.02	0.03	0.04	0.05	0.06
2200	5	0	0	0	0	0	0	0	0	0	0	0	0	0	0	0	0	0	0	0	0	0	0	0	0	0	0	0	0	0	0
	10	0	0	0	0	0	0	0	0	0	0	0	0	0	0	0	0	0	0	1	0	0	0	0	0	8	4	2	0	0	0
	15	0	0	0	0	0	0	0	0	0	0	0	0	0	0	0	0	0	0	5	1	0	0	0	0	10	8	7	6	4	3
	20	0	0	0	0	0	0	0	0	0	0	0	0	3	0	0	0	0	0	7	4	3	2	0	0	11	9	8	7	7	6
2400	5	0	0	0	0	0	0	0	0	0	0	0	0	0	0	0	0	0	0	0	0	0	0	0	0	0	0	0	0	0	0
	10	0	0	0	0	0	0	0	0	0	0	0	0	0	0	0	0	0	0	0	0	0	0	0	0	7	2	0	0	0	0
	15	0	0	0	0	0	0	0	0	0	0	0	0	0	0	0	0	0	0	4	0	0	0	0	0	10	7	6	4	3	1
	20	0	0	0	0	0	0	0	0	0	0	0	0	2	0	0	0	0	0	6	4	2	0	0	0	10	8	7	7	6	5
2600	5	0	0	0	0	0	0	0	0	0	0	0	0	0	0	0	0	0	0	0	0	0	0	0	0	0	0	0	0	0	0
	10	0	0	0	0	0	0	0	0	0	0	0	0	0	0	0	0	0	0	0	0	0	0	0	0	6	0	0	0	0	0
	15	0	0	0	0	0	0	0	0	0	0	0	0	0	0	0	0	0	0	3	0	0	0	0	0	9	6	5	3	1	0
	20	0	0	0	0	0	0	0	0	0	0	0	0	0	0	0	0	0	0	6	2	0	0	0	0	10	8	7	6	5	4

注：1　保护层导热系数常温下满足 $\lambda \leqslant 0.116W/(m \cdot ℃)$；

2　如果保护层厚度小于设计、施工或成品要求的最小厚度，按后者取值。

表 C.0.5-2 耐火等级为 3h 时非膨胀型防火涂料厚度 d（mm）（夹芯层混凝土厚度 150mm）

外径 (mm)	外管厚度 (mm)	荷载比 0.4						荷载比 0.5						荷载比 0.6						荷载比 0.7						荷载比 0.8					
		配钢率						配钢率						配钢率						配钢率						配钢率					
		0.00	0.02	0.03	0.04	0.05	0.06	0.00	0.02	0.03	0.04	0.05	0.06	0.00	0.02	0.03	0.04	0.05	0.06	0.00	0.02	0.03	0.04	0.05	0.06	0.00	0.02	0.03	0.04	0.05	0.06
600	5	1	0	0	0	0	0	4	1	1	0	0	0	9	5	3	2	1	1	14	10	9	7	6	5	22	18	16	15	14	13
	10	5	2	1	0	0	0	8	6	4	3	2	1	12	10	9	8	7	6	16	14	13	12	12	11	23	21	20	19	18	17
	15	6	4	4	3	2	1	9	8	7	6	5	5	12	11	10	10	9	8	16	15	14	13	13	12	21	20	19	19	18	18
	20	7	6	5	4	4	3	9	8	8	7	7	6	12	11	10	10	9	9	15	14	14	13	13	12	19	18	18	18	17	17
800	5	0	0	0	0	0	0	1	0	0	0	0	0	5	1	0	0	0	0	11	6	5	3	2	1	18	14	12	11	9	8
	10	2	0	0	0	0	0	6	2	1	0	0	0	10	7	6	4	3	2	14	12	11	10	8	8	21	18	17	16	15	14
	15	5	2	1	0	0	0	8	5	4	3	2	1	11	9	8	7	7	6	15	13	12	11	11	10	20	18	17	17	16	15
	20	6	4	3	2	1	0	8	7	6	5	5	4	11	10	9	8	8	7	14	13	12	12	11	11	18	17	17	16	16	15
1000	5	0	0	0	0	0	0	0	0	0	0	0	0	2	0	0	0	0	0	8	3	2	1	0	0	16	11	9	7	6	5
	10	0	0	0	0	0	0	4	0	0	0	0	0	8	4	3	1	0	0	13	10	8	7	6	4	19	16	15	14	13	12
	15	3	0	0	0	0	0	6	3	2	1	0	0	10	7	6	5	4	3	14	11	11	10	9	8	19	17	16	15	14	14
	20	4	2	0	0	0	0	7	5	4	3	2	1	10	8	8	7	6	6	13	12	11	10	10	9	18	16	16	15	14	14
1200	5	0	0	0	0	0	0	0	0	0	0	0	0	1	0	0	0	0	0	5	1	0	0	0	0	13	8	6	5	3	2
	10	0	0	0	0	0	0	1	0	0	0	0	0	6	2	0	0	0	0	11	8	6	4	3	2	17	14	13	12	11	9

续表 C.0.5-2

外径(mm)	外管厚度(mm)	荷载比0.4						荷载比0.5						荷载比0.6						荷载比0.7						荷载比0.8					
		配钢率						配钢率						配钢率						配钢率						配钢率					
		0.00	0.02	0.03	0.04	0.05	0.06	0.00	0.02	0.03	0.04	0.05	0.06	0.00	0.02	0.03	0.04	0.05	0.06	0.00	0.02	0.03	0.04	0.05	0.06	0.00	0.02	0.03	0.04	0.05	0.06
1200	15	1	0	0	0	0	0	5	1	0	0	0	0	8	6	4	3	1	0	12	10	9	8	7	6	18	15	15	14	13	12
	20	3	0	0	0	0	0	6	4	2	1	0	0	9	7	6	5	5	4	12	11	10	9	9	8	17	15	15	14	13	13
1400	5	0	0	0	0	0	0	0	0	0	0	0	0	0	0	0	0	0	0	3	0	0	0	0	0	11	6	4	2	1	0
	10	0	0	0	0	0	0	0	0	0	0	0	0	4	0	0	0	0	0	10	6	4	2	1	0	16	13	11	10	9	7
	15	0	0	0	0	0	0	3	0	0	0	0	0	7	4	2	1	0	0	11	9	8	6	5	4	17	14	13	12	11	11
	20	1	0	0	0	0	0	5	2	0	0	0	0	8	6	5	4	3	1	12	10	9	8	7	7	16	14	14	13	12	12
1600	5	0	0	0	0	0	0	0	0	0	0	0	0	0	0	0	0	0	0	1	0	0	0	0	0	9	3	2	1	0	0
	10	0	0	0	0	0	0	0	0	0	0	0	0	2	0	0	0	0	0	8	3	1	0	0	0	14	11	9	8	6	5
	15	0	0	0	0	0	0	1	0	0	0	0	0	6	2	0	0	0	0	10	7	6	5	3	2	16	13	12	11	10	9
	20	0	0	0	0	0	0	4	0	0	0	0	0	7	5	3	2	0	0	11	9	8	7	6	5	15	13	13	12	11	11
1800	5	0	0	0	0	0	0	0	0	0	0	0	0	0	0	0	0	0	0	0	0	0	0	0	0	6	1	0	0	0	0
	10	0	0	0	0	0	0	0	0	0	0	0	0	0	0	0	0	0	0	6	1	0	0	0	0	13	9	7	6	4	2
	15	0	0	0	0	0	0	0	0	0	0	0	0	4	0	0	0	0	0	9	6	4	2	1	0	15	12	11	10	9	8
	20	0	0	0	0	0	0	2	0	0	0	0	0	6	3	1	0	0	0	10	8	7	6	5	4	15	13	12	11	10	10

2000	5	0	0	0	0	0	0	0	0	0	0	0	0	0	0	0	0	0	0	0	0	0	0	0	0	3	0	0	0	0	0
	10	0	0	0	0	0	0	0	0	0	0	0	0	0	0	0	0	0	0	4	0	0	0	0	0	11	7	5	3	1	0
	15	0	0	0	0	0	0	0	0	0	0	0	0	2	0	0	0	0	0	8	4	2	0	0	0	14	11	10	8	7	6
	20	0	0	0	0	0	0	0	0	0	0	0	0	5	1	0	0	0	0	9	7	6	4	3	1	14	12	11	10	9	8
2200	5	0	0	0	0	0	0	0	0	0	0	0	0	0	0	0	0	0	0	0	0	0	0	0	0	1	0	0	0	0	0
	10	0	0	0	0	0	0	0	0	0	0	0	0	0	0	0	0	0	0	1	0	0	0	0	0	10	5	3	1	0	0
	15	0	0	0	0	0	0	0	0	0	0	0	0	0	0	0	0	0	0	7	2	0	0	0	0	13	10	8	7	6	4
	20	0	0	0	0	0	0	0	0	0	0	0	0	4	0	0	0	0	0	9	6	4	2	0	0	13	11	10	9	8	7
2400	5	0	0	0	0	0	0	0	0	0	0	0	0	0	0	0	0	0	0	0	0	0	0	0	0	0	0	0	0	0	0
	10	0	0	0	0	0	0	0	0	0	0	0	0	0	0	0	0	0	0	0	0	0	0	0	0	9	3	0	0	0	0
	15	0	0	0	0	0	0	0	0	0	0	0	0	0	0	0	0	0	0	6	0	0	0	0	0	12	9	7	6	4	2
	20	0	0	0	0	0	0	0	0	0	0	0	0	3	0	0	0	0	0	8	5	3	0	0	0	13	10	9	8	7	6
2600	5	0	0	0	0	0	0	0	0	0	0	0	0	0	0	0	0	0	0	0	0	0	0	0	0	0	0	0	0	0	0
	10	0	0	0	0	0	0	0	0	0	0	0	0	0	0	0	0	0	0	0	0	0	0	0	0	7	1	0	0	0	0
	15	0	0	0	0	0	0	0	0	0	0	0	0	0	0	0	0	0	0	4	0	0	0	0	0	11	8	6	4	2	0
	20	0	0	0	0	0	0	0	0	0	0	0	0	1	0	0	0	0	0	7	3	0	0	0	0	12	10	8	7	6	5

注：1　保护层导热系数常温下满足 $\lambda \leqslant 0.116$W/(m·℃)；

2　如果保护层厚度小于设计、施工或成品要求的最小厚度，按后者取值。

表 C.0.5-3 耐火等级为 2.5h 时非膨胀型防火涂料厚度 *d*（mm）（夹芯层混凝土厚度 200mm）

外径(mm)	外管厚度(mm)	荷载比0.4						荷载比0.5						荷载比0.6						荷载比0.7						荷载比0.8					
		配钢率						配钢率						配钢率						配钢率						配钢率					
		0.00	0.02	0.03	0.04	0.05	0.06	0.00	0.02	0.03	0.04	0.05	0.06	0.00	0.02	0.03	0.04	0.05	0.06	0.00	0.02	0.03	0.04	0.05	0.06	0.00	0.02	0.03	0.04	0.05	0.06
600	5	1	0	0	0	0	0	3	1	0	0	0	0	7	4	3	2	1	1	11	8	7	6	5	4	18	15	13	12	11	10
	10	4	1	1	0	0	0	7	4	3	3	2	1	10	8	7	6	5	5	13	12	11	10	9	9	19	17	16	15	15	14
	15	5	3	3	2	1	1	7	6	5	5	4	4	10	9	8	8	7	7	13	12	11	11	10	10	18	16	16	15	15	14
	20	5	4	4	3	3	2	7	6	6	6	5	5	10	9	8	8	8	7	12	11	11	11	10	10	16	15	15	14	14	14
800	5	0	0	0	0	0	0	1	0	0	0	0	0	4	1	0	0	0	0	9	5	4	2	1	1	15	11	10	9	8	7
	10	1	0	0	0	0	0	5	2	1	0	0	0	8	5	4	3	2	1	12	9	9	8	7	6	17	15	14	13	12	11
	15	3	1	0	0	0	0	6	4	3	2	1	1	9	7	6	6	5	4	12	10	10	9	9	8	16	15	14	14	13	13
	20	4	3	2	1	0	0	7	5	5	4	3	3	9	8	7	7	6	6	11	10	10	9	9	9	15	14	14	13	13	12
1000	5	0	0	0	0	0	0	0	0	0	0	0	0	2	0	0	0	0	0	6	2	1	0	0	0	13	9	7	6	5	4
	10	0	0	0	0	0	0	3	0	0	0	0	0	6	3	2	1	0	0	10	8	7	5	4	3	15	13	12	11	10	9
	15	2	0	0	0	0	0	5	2	1	0	0	0	8	6	5	4	3	2	11	9	8	8	7	6	15	14	13	12	12	11
	20	3	1	0	0	0	0	6	4	3	2	1	1	8	7	6	5	5	4	11	9	9	8	8	7	14	13	13	12	12	11
1200	5	0	0	0	0	0	0	0	0	0	0	0	0	0	0	0	0	0	0	4	1	0	0	0	0	11	7	5	4	2	1
	10	0	0	0	0	0	0	1	0	0	0	0	0	5	1	0	0	0	0	9	6	5	3	2	1	14	12	10	9	8	8

	15	0	0	0	0	0	0	4	1	0	0	0	0	7	4	3	2	1	0	10	8	7	6	6	5	14	13	12	11	10	10
	20	2	0	0	0	0	0	5	3	2	0	0	0	7	6	5	4	3	3	10	9	8	7	7	6	14	12	12	11	11	10
1400	5	0	0	0	0	0	0	0	0	0	0	0	0	0	0	0	0	0	0	2	0	0	0	0	0	9	5	3	2	1	0
	10	0	0	0	0	0	0	0	0	0	0	0	0	3	0	0	0	0	0	8	4	3	1	0	0	13	10	9	8	7	6
	15	0	0	0	0	0	0	2	0	0	0	0	0	6	3	1	0	0	0	9	7	6	5	4	3	14	12	11	10	9	9
	20	1	0	0	0	0	0	4	1	0	0	0	0	7	5	4	3	2	1	9	8	7	7	6	5	13	12	11	10	10	9
1600	5	0	0	0	0	0	0	0	0	0	0	0	0	0	0	0	0	0	0	1	0	0	0	0	0	7	2	1	0	0	0
	10	0	0	0	0	0	0	0	0	0	0	0	0	1	0	0	0	0	0	6	2	1	0	0	0	12	9	7	6	5	4
	15	0	0	0	0	0	0	1	0	0	0	0	0	5	1	0	0	0	0	8	6	5	4	2	1	13	11	10	9	8	7
	20	0	0	0	0	0	0	3	0	0	0	0	0	6	4	3	1	0	0	9	7	6	6	5	4	12	11	10	10	9	9
1800	5	0	0	0	0	0	0	0	0	0	0	0	0	0	0	0	0	0	0	0	0	0	0	0	0	5	1	0	0	0	0
	10	0	0	0	0	0	0	0	0	0	0	0	0	0	0	0	0	0	0	5	0	0	0	0	0	10	7	6	4	3	2
	15	0	0	0	0	0	0	0	0	0	0	0	0	3	0	0	0	0	0	7	5	3	2	0	0	12	10	9	8	7	6
	20	0	0	0	0	0	0	2	0	0	0	0	0	5	2	1	0	0	0	8	6	5	4	4	3	12	10	9	9	8	8
2000	5	0	0	0	0	0	0	0	0	0	0	0	0	0	0	0	0	0	0	0	0	0	0	0	0	2	0	0	0	0	0
	10	0	0	0	0	0	0	0	0	0	0	0	0	0	0	0	0	0	0	3	0	0	0	0	0	9	6	4	2	1	0
	15	0	0	0	0	0	0	0	0	0	0	0	0	2	0	0	0	0	0	6	3	1	0	0	0	11	9	8	7	6	5
	20	0	0	0	0	0	0	0	0	0	0	0	0	4	1	0	0	0	0	7	5	4	3	2	1	11	9	9	8	7	7

续表 C.0.5-3

外径(mm)	外管厚度(mm)	荷载比0.4 配钢率						荷载比0.5 配钢率						荷载比0.6 配钢率						荷载比0.7 配钢率						荷载比0.8 配钢率					
		0.00	0.02	0.03	0.04	0.05	0.06	0.00	0.02	0.03	0.04	0.05	0.06	0.00	0.02	0.03	0.04	0.05	0.06	0.00	0.02	0.03	0.04	0.05	0.06	0.00	0.02	0.03	0.04	0.05	0.06
2200	5	0	0	0	0	0	0	0	0	0	0	0	0	0	0	0	0	0	0	0	0	0	0	0	0	0	0	0	0	0	0
	10	0	0	0	0	0	0	0	0	0	0	0	0	0	0	0	0	0	0	1	0	0	0	0	0	8	4	2	0	0	0
	15	0	0	0	0	0	0	0	0	0	0	0	0	0	0	0	0	0	0	5	1	0	0	0	0	10	8	7	6	4	3
	20	0	0	0	0	0	0	0	0	0	0	0	0	3	0	0	0	0	0	7	4	3	2	0	0	11	9	8	7	7	6
2400	5	0	0	0	0	0	0	0	0	0	0	0	0	0	0	0	0	0	0	0	0	0	0	0	0	0	0	0	0	0	0
	10	0	0	0	0	0	0	0	0	0	0	0	0	0	0	0	0	0	0	0	0	0	0	0	0	7	2	0	0	0	0
	15	0	0	0	0	0	0	0	0	0	0	0	0	0	0	0	0	0	0	4	0	0	0	0	0	10	7	6	4	3	1
	20	0	0	0	0	0	0	0	0	0	0	0	0	2	0	0	0	0	0	6	4	2	0	0	0	10	8	7	7	6	5
2600	5	0	0	0	0	0	0	0	0	0	0	0	0	0	0	0	0	0	0	0	0	0	0	0	0	0	0	0	0	0	0
	10	0	0	0	0	0	0	0	0	0	0	0	0	0	0	0	0	0	0	0	0	0	0	0	0	6	0	0	0	0	0
	15	0	0	0	0	0	0	0	0	0	0	0	0	0	0	0	0	0	0	3	0	0	0	0	0	9	6	5	3	1	0
	20	0	0	0	0	0	0	0	0	0	0	0	0	0	0	0	0	0	0	6	2	0	0	0	0	10	8	7	6	5	4

注：1　保护层导热系数常温下满足 $\lambda \leqslant 0.116W/(m \cdot ℃)$；

2　如果保护层厚度小于设计、施工或成品要求的最小厚度，按后者取值。

表 C.0.5-4 耐火等级为 3h 时非膨胀型防火涂料厚度 *d*（mm）（夹芯层混凝土厚度 200mm）

外径 (mm)	外管厚度 (mm)	荷载比 0.4						荷载比 0.5						荷载比 0.6						荷载比 0.7						荷载比 0.8					
		配钢率						配钢率						配钢率						配钢率						配钢率					
		0.00	0.02	0.03	0.04	0.05	0.06	0.00	0.02	0.03	0.04	0.05	0.06	0.00	0.02	0.03	0.04	0.05	0.06	0.00	0.02	0.03	0.04	0.05	0.06	0.00	0.02	0.03	0.04	0.05	0.06
600	5	1	0	0	0	0	0	4	1	1	0	0	0	9	5	4	2	2	1	14	10	9	8	6	5	22	18	16	15	14	13
	10	5	2	1	0	0	0	8	6	5	3	2	2	12	10	9	8	7	6	16	14	13	12	12	11	23	21	20	19	18	17
	15	6	5	4	3	2	1	9	8	7	6	5	5	12	11	10	10	9	8	16	15	14	13	13	12	21	20	19	19	18	18
	20	7	6	5	4	4	3	9	8	8	7	7	6	12	11	10	10	9	9	15	14	14	13	13	12	19	18	18	18	17	17
800	5	0	0	0	0	0	0	1	0	0	0	0	0	5	1	0	0	0	0	11	6	5	3	2	1	18	14	12	11	9	8
	10	2	0	0	0	0	0	6	2	1	0	0	0	10	7	6	4	3	2	14	12	11	10	9	8	21	18	17	16	15	14
	15	5	2	1	0	0	0	8	5	4	3	2	1	11	9	8	7	7	6	15	13	12	11	11	10	20	18	17	17	16	15
	20	6	4	3	2	1	0	8	7	6	5	5	4	11	10	9	8	8	7	14	13	12	12	11	11	18	17	17	16	16	15
1000	5	0	0	0	0	0	0	0	0	0	0	0	0	2	0	0	0	0	0	8	3	2	1	0	0	16	11	9	8	6	5
	10	0	0	0	0	0	0	4	0	0	0	0	0	8	4	3	1	0	0	13	10	8	7	6	4	19	16	15	14	13	12
	15	3	0	0	0	0	0	6	3	2	0	0	0	10	7	6	5	4	3	14	11	11	10	9	8	19	17	16	15	14	14
	20	4	2	0	0	0	0	7	5	4	3	2	1	10	8	8	7	6	6	13	12	11	10	10	9	18	16	16	15	14	14
1200	5	0	0	0	0	0	0	0	0	0	0	0	0	1	0	0	0	0	0	5	1	0	0	0	0	13	8	6	5	3	2
	10	0	0	0	0	0	0	1	0	0	0	0	0	6	2	0	0	0	0	11	8	6	4	3	2	17	14	13	12	11	10

续表 C.0.5-4

外径 (mm)	外管厚度 (mm)	荷载比 0.4						荷载比 0.5						荷载比 0.6						荷载比 0.7						荷载比 0.8					
		配钢率						配钢率						配钢率						配钢率						配钢率					
		0.00	0.02	0.03	0.04	0.05	0.06	0.00	0.02	0.03	0.04	0.05	0.06	0.00	0.02	0.03	0.04	0.05	0.06	0.00	0.02	0.03	0.04	0.05	0.06	0.00	0.02	0.03	0.04	0.05	0.06
1200	15	1	0	0	0	0	0	5	1	0	0	0	0	8	6	4	3	2	0	12	10	9	8	7	6	18	15	15	14	13	12
	20	3	0	0	0	0	0	6	4	2	1	0	0	9	7	6	5	5	4	12	11	10	9	9	8	17	15	15	14	13	13
1400	5	0	0	0	0	0	0	0	0	0	0	0	0	0	0	0	0	0	0	3	0	0	0	0	0	11	6	4	2	1	0
	10	0	0	0	0	0	0	0	0	0	0	0	0	4	0	0	0	0	0	10	6	4	2	1	0	16	13	11	10	9	7
	15	0	0	0	0	0	0	3	0	0	0	0	0	7	4	2	1	0	0	11	9	8	7	5	4	17	14	13	12	11	11
	20	1	0	0	0	0	0	5	2	0	0	0	0	8	6	5	4	3	1	12	10	9	8	7	7	16	14	14	13	12	12
1600	5	0	0	0	0	0	0	0	0	0	0	0	0	0	0	0	0	0	0	1	0	0	0	0	0	9	3	2	0	0	0
	10	0	0	0	0	0	0	0	0	0	0	0	0	2	0	0	0	0	0	8	3	1	0	0	0	14	11	9	8	6	5
	15	0	0	0	0	0	0	1	0	0	0	0	0	6	2	0	0	0	0	10	7	6	5	3	2	16	13	12	11	10	9
	20	0	0	0	0	0	0	4	0	0	0	0	0	7	5	3	2	0	0	11	9	8	7	6	5	15	13	13	12	11	11
1800	5	0	0	0	0	0	0	0	0	0	0	0	0	0	0	0	0	0	0	0	0	0	0	0	0	6	1	0	0	0	0
	10	0	0	0	0	0	0	0	0	0	0	0	0	0	0	0	0	0	0	6	1	0	0	0	0	13	9	7	6	4	2
	15	0	0	0	0	0	0	0	0	0	0	0	0	4	0	0	0	0	0	9	6	4	2	1	0	15	12	11	10	9	8
	20	0	0	0	0	0	0	2	0	0	0	0	0	6	3	1	0	0	0	10	8	7	6	5	4	15	13	12	11	10	10

2000	5	0	0	0	0	0	0	0	0	0	0	0	0	0	0	0	0	0	0	0	0	0	0	0	0	3	0	0	0	0	0
	10	0	0	0	0	0	0	0	0	0	0	0	0	0	0	0	0	0	0	4	0	0	0	0	0	11	7	5	3	1	0
	15	0	0	0	0	0	0	0	0	0	0	0	0	2	0	0	0	0	0	8	4	2	0	0	0	14	11	10	8	7	6
	20	0	0	0	0	0	0	0	0	0	0	0	0	5	1	0	0	0	0	9	7	6	4	3	1	14	12	11	10	9	8
2200	5	0	0	0	0	0	0	0	0	0	0	0	0	0	0	0	0	0	0	0	0	0	0	0	0	1	0	0	0	0	0
	10	0	0	0	0	0	0	0	0	0	0	0	0	0	0	0	0	0	0	1	0	0	0	0	0	10	5	3	1	0	0
	15	0	0	0	0	0	0	0	0	0	0	0	0	0	0	0	0	0	0	7	2	0	0	0	0	13	10	8	7	6	4
	20	0	0	0	0	0	0	0	0	0	0	0	0	4	0	0	0	0	0	9	6	4	2	0	0	13	11	10	9	8	7
2400	5	0	0	0	0	0	0	0	0	0	0	0	0	0	0	0	0	0	0	0	0	0	0	0	0	0	0	0	0	0	0
	10	0	0	0	0	0	0	0	0	0	0	0	0	0	0	0	0	0	0	0	0	0	0	0	0	9	3	0	0	0	0
	15	0	0	0	0	0	0	0	0	0	0	0	0	0	0	0	0	0	0	6	0	0	0	0	0	12	9	7	6	4	2
	20	0	0	0	0	0	0	0	0	0	0	0	0	3	0	0	0	0	0	8	5	3	0	0	0	13	10	9	8	7	6
2600	5	0	0	0	0	0	0	0	0	0	0	0	0	0	0	0	0	0	0	0	0	0	0	0	0	0	0	0	0	0	0
	10	0	0	0	0	0	0	0	0	0	0	0	0	0	0	0	0	0	0	0	0	0	0	0	0	7	1	0	0	0	0
	15	0	0	0	0	0	0	0	0	0	0	0	0	0	0	0	0	0	0	4	0	0	0	0	0	11	8	6	4	2	0
	20	0	0	0	0	0	0	0	0	0	0	0	0	1	0	0	0	0	0	7	3	0	0	0	0	12	10	8	7	6	5

注:1　保护层导热系数常温下满足$\lambda \leqslant 0.116W/(m \cdot ℃)$；

2　如果保护层厚度小于设计、施工或成品要求的最小厚度，按后者取值。

C. 0. 6 当保护层为水泥砂浆时，内配单层圆钢管的实心圆形钢管混凝土构件保护层厚度可按表 C. 0. 6-1～表 C. 0. 6-4 取值。

表 C. 0. 6-1 耐火等级为 2. 5h 时水泥砂浆保护层厚度 *d* (mm)（夹芯层混凝土厚度 150mm）

外径(mm)	外管厚度(mm)	荷载比0.4						荷载比0.5						荷载比0.6						荷载比0.7						荷载比0.8					
		配钢率						配钢率						配钢率						配钢率						配钢率					
		0.00	0.02	0.03	0.04	0.05	0.06	0.00	0.02	0.03	0.04	0.05	0.06	0.00	0.02	0.03	0.04	0.05	0.06	0.00	0.02	0.03	0.04	0.05	0.06	0.00	0.02	0.03	0.04	0.05	0.06
600	5	4	0	0	0	0	0	14	3	0	0	0	0	29	16	11	7	4	2	48	35	30	25	20	17	75	61	56	51	47	43
	10	16	6	2	0	0	0	28	19	14	10	7	4	41	33	29	25	22	19	56	49	45	42	39	37	79	71	67	64	61	59
	15	21	14	11	8	5	2	31	25	23	20	18	15	42	37	34	32	30	28	55	50	48	46	44	42	74	68	66	64	62	60
	20	23	18	16	14	12	9	31	27	25	24	22	20	40	36	35	33	32	30	51	48	46	45	43	42	67	63	62	60	59	57
800	5	0	0	0	0	0	0	4	0	0	0	0	0	17	4	0	0	0	0	36	21	15	10	6	3	63	48	42	37	32	27
	10	6	0	0	0	0	0	19	7	2	0	0	0	33	23	18	13	9	5	49	40	36	32	28	25	71	62	58	54	51	48
	15	15	5	0	0	0	0	26	18	14	10	6	2	37	30	27	24	21	19	50	44	41	39	36	34	69	62	60	57	55	53
	20	18	12	8	4	1	0	27	22	20	17	14	12	37	32	30	28	26	24	48	43	42	40	38	36	63	59	57	55	54	52
1000	5	0	0	0	0	0	0	0	0	0	0	0	0	7	0	0	0	0	0	26	10	5	1	0	0	53	37	31	25	19	15
	10	0	0	0	0	0	0	11	0	0	0	0	0	26	14	8	3	0	0	43	32	28	23	19	14	65	55	50	47	43	40
	15	8	0	0	0	0	0	21	10	5	0	0	0	33	24	21	17	13	9	46	39	36	33	30	27	64	57	54	52	49	47
	20	14	4	0	0	0	0	24	17	14	10	6	2	34	28	25	23	20	18	45	40	38	35	33	31	60	55	53	51	49	47

1200	5	0	0	0	0	0	0	0	0	0	0	0	0	1	0	0	0	0	0	18	3	0	0	0	0	45	28	21	15	10	5
	10	0	0	0	0	0	0	4	0	0	0	0	0	20	5	0	0	0	0	37	25	20	14	9	4	60	49	44	40	36	32
	15	1	0	0	0	0	0	15	2	0	0	0	0	28	19	14	9	4	0	42	34	31	27	24	20	61	53	50	47	44	41
	20	9	0	0	0	0	0	20	12	7	2	0	0	31	24	21	18	15	11	42	36	34	31	29	27	58	52	50	47	45	43
1400	5	0	0	0	0	0	0	0	0	0	0	0	0	0	0	0	0	0	0	10	0	0	0	0	0	37	19	12	7	3	0
	10	0	0	0	0	0	0	0	0	0	0	0	0	13	0	0	0	0	0	32	18	12	6	1	0	55	43	38	33	29	24
	15	0	0	0	0	0	0	9	0	0	0	0	0	24	12	6	1	0	0	39	30	25	21	17	13	57	49	45	42	39	36
	20	3	0	0	0	0	0	17	5	0	0	0	0	28	20	16	12	8	3	40	33	30	27	25	22	55	49	46	44	42	40
1600	5	0	0	0	0	0	0	0	0	0	0	0	0	0	0	0	0	0	0	3	0	0	0	0	0	29	11	4	0	0	0
	10	0	0	0	0	0	0	0	0	0	0	0	0	6	0	0	0	0	0	26	10	4	0	0	0	49	37	31	26	21	16
	15	0	0	0	0	0	0	3	0	0	0	0	0	19	5	0	0	0	0	35	25	20	15	10	5	53	45	41	37	34	31
	20	0	0	0	0	0	0	12	0	0	0	0	0	25	16	11	5	0	0	37	30	27	23	20	17	52	46	43	40	38	36
1800	5	0	0	0	0	0	0	0	0	0	0	0	0	0	0	0	0	0	0	0	0	0	0	0	0	20	3	0	0	0	0
	10	0	0	0	0	0	0	0	0	0	0	0	0	0	0	0	0	0	0	19	2	0	0	0	0	44	30	24	19	13	7
	15	0	0	0	0	0	0	0	0	0	0	0	0	14	0	0	0	0	0	31	19	13	7	1	0	50	40	36	33	29	26
	20	0	0	0	0	0	0	6	0	0	0	0	0	21	10	3	0	0	0	34	26	23	19	15	11	50	43	40	37	34	32
2000	5	0	0	0	0	0	0	0	0	0	0	0	0	0	0	0	0	0	0	0	0	0	0	0	0	10	0	0	0	0	0
	10	0	0	0	0	0	0	0	0	0	0	0	0	0	0	0	0	0	0	12	0	0	0	0	0	39	24	17	10	3	0
	15	0	0	0	0	0	0	0	0	0	0	0	0	7	0	0	0	0	0	27	13	5	0	0	0	46	36	32	28	24	20
	20	0	0	0	0	0	0	0	0	0	0	0	0	17	3	0	0	0	0	31	23	18	14	9	3	47	40	37	34	31	28

续表 C. 0. 6-1

外径(mm)	外管厚度(mm)	荷载比 0.4						荷载比 0.5						荷载比 0.6						荷载比 0.7						荷载比 0.8					
		配钢率						配钢率						配钢率						配钢率						配钢率					
		0.00	0.02	0.03	0.04	0.05	0.06	0.00	0.02	0.03	0.04	0.05	0.03	0.00	0.02	0.03	0.04	0.05	0.06	0.00	0.02	0.03	0.04	0.05	0.06	0.00	0.02	0.03	0.04	0.05	0.06
2200	5	0	0	0	0	0	0	0	0	0	0	0	0	0	0	0	0	0	0	0	0	0	0	0	0	2	0	0	0	0	0
	10	0	0	0	0	0	0	0	0	0	0	0	0	0	0	0	0	0	0	3	0	0	0	0	0	34	17	8	1	0	0
	15	0	0	0	0	0	0	0	0	0	0	0	0	0	0	0	0	0	0	23	5	0	0	0	0	43	33	28	23	19	14
	20	0	0	0	0	0	0	0	0	0	0	0	0	13	0	0	0	0	0	29	19	14	7	0	0	45	37	34	31	28	25
2400	5	0	0	0	0	0	0	0	0	0	0	0	0	0	0	0	0	0	0	0	0	0	0	0	0	0	0	0	0	0	0
	10	0	0	0	0	0	0	0	0	0	0	0	0	0	0	0	0	0	0	0	0	0	0	0	0	29	10	0	0	0	0
	15	0	0	0	0	0	0	0	0	0	0	0	0	0	0	0	0	0	0	18	0	0	0	0	0	40	29	24	18	13	6
	20	0	0	0	0	0	0	0	0	0	0	0	0	8	0	0	0	0	0	26	15	8	0	0	0	43	35	31	28	24	21
2600	5	0	0	0	0	0	0	0	0	0	0	0	0	0	0	0	0	0	0	0	0	0	0	0	0	0	0	0	0	0	0
	10	0	0	0	0	0	0	0	0	0	0	0	0	0	0	0	0	0	0	0	0	0	0	0	0	25	2	0	0	0	0
	15	0	0	0	0	0	0	0	0	0	0	0	0	0	0	0	0	0	0	14	0	0	0	0	0	37	25	20	13	5	0
	20	0	0	0	0	0	0	0	0	0	0	0	0	1	0	0	0	0	0	23	10	0	0	0	0	41	32	28	25	21	18

注：如果保护层厚度小于设计、施工或成品要求的最小厚度，按后者取值。

表 C.0.6-2 耐火等级为 2.5h 时水泥砂浆保护层厚度 d (mm)(夹芯层混凝土厚度 200mm)

外径 (mm)	外管厚度 (mm)	荷载比 0.4						荷载比 0.5						荷载比 0.6						荷载比 0.7						荷载比 0.8					
		配钢率						配钢率						配钢率						配钢率						配钢率					
		0.00	0.02	0.03	0.04	0.05	0.06	0.00	0.02	0.03	0.04	0.05	0.06	0.00	0.02	0.03	0.04	0.05	0.06	0.00	0.02	0.03	0.04	0.05	0.06	0.00	0.02	0.03	0.04	0.05	0.06
600	5	4	0	0	0	0	0	14	3	1	0	0	0	29	16	11	7	5	3	48	35	30	25	21	17	75	62	56	51	47	43
	10	16	6	2	0	0	0	28	19	14	11	7	5	41	33	29	26	22	19	56	49	45	42	39	37	79	71	67	64	61	59
	15	21	14	11	8	5	3	31	25	23	20	18	15	42	37	34	32	30	28	55	50	48	46	44	42	74	68	66	64	62	60
	20	23	18	16	14	12	10	31	27	25	24	22	20	40	36	35	33	32	31	51	48	46	45	43	42	67	63	62	60	59	58
800	5	0	0	0	0	0	0	4	0	0	0	0	0	17	4	0	0	0	0	36	21	15	10	6	3	63	48	42	37	32	28
	10	6	0	0	0	0	0	19	7	2	0	0	0	33	23	18	13	9	5	49	40	36	32	29	25	71	62	58	54	51	48
	15	15	4	0	0	0	0	26	18	14	10	6	3	37	30	27	24	22	19	50	44	41	39	36	34	69	62	60	57	55	53
	20	18	12	8	4	1	0	27	22	20	17	15	12	37	32	30	28	26	24	48	43	42	40	38	36	63	59	57	55	54	52
1000	5	0	0	0	0	0	0	0	0	0	0	0	0	7	0	0	0	0	0	26	10	5	1	0	0	53	37	31	25	20	15
	10	0	0	0	0	0	0	11	0	0	0	0	0	26	14	8	3	0	0	43	32	28	23	19	14	65	55	50	47	43	40
	15	8	0	0	0	0	0	21	10	5	0	0	0	33	24	21	17	13	9	46	39	36	33	30	27	64	57	54	52	49	47
	20	14	4	0	0	0	0	24	17	14	10	6	2	34	28	25	23	20	18	45	40	38	35	33	32	60	55	53	51	49	47
1200	5	0	0	0	0	0	0	0	0	0	0	0	0	1	0	0	0	0	0	18	3	0	0	0	0	45	28	21	15	10	6
	10	0	0	0	0	0	0	4	0	0	0	0	0	20	5	0	0	0	0	37	25	20	14	9	4	60	49	44	40	36	32

续表 C. 0. 6-2

外径(mm)	外管厚度(mm)	荷载比0.4						荷载比0.5						荷载比0.6						荷载比0.7						荷载比0.8					
		配钢率						配钢率						配钢率						配钢率						配钢率					
		0.00	0.02	0.03	0.04	0.05	0.06	0.00	0.02	0.03	0.04	0.05	0.06	0.00	0.02	0.03	0.04	0.05	0.06	0.00	0.02	0.03	0.04	0.05	0.06	0.00	0.02	0.03	0.04	0.05	0.06
1200	15	1	0	0	0	0	0	15	2	0	0	0	0	28	19	14	9	4	0	42	34	31	27	24	21	61	53	50	47	44	41
	20	9	0	0	0	0	0	20	12	7	2	0	0	31	24	21	18	15	11	42	36	34	31	29	27	58	52	50	47	45	43
1400	5	0	0	0	0	0	0	0	0	0	0	0	0	0	0	0	0	0	0	10	0	0	0	0	0	37	19	12	7	2	0
	10	0	0	0	0	0	0	0	0	0	0	0	0	13	0	0	0	0	0	32	18	12	6	1	0	55	43	38	33	29	25
	15	0	0	0	0	0	0	9	0	0	0	0	0	24	12	6	1	0	0	39	30	25	21	17	13	57	49	45	42	39	36
	20	3	0	0	0	0	0	17	5	0	0	0	0	28	20	16	12	8	3	40	33	30	27	25	22	55	49	46	44	42	40
1600	5	0	0	0	0	0	0	0	0	0	0	0	0	0	0	0	0	0	0	3	0	0	0	0	0	29	10	4	0	0	0
	10	0	0	0	0	0	0	0	0	0	0	0	0	6	0	0	0	0	0	26	10	3	0	0	0	49	37	31	26	21	16
	15	0	0	0	0	0	0	3	0	0	0	0	0	19	5	0	0	0	0	35	25	20	15	10	5	53	45	41	37	34	31
	20	0	0	0	0	0	0	12	0	0	0	0	0	25	15	11	5	0	0	37	30	27	23	20	17	52	46	43	40	38	36
1800	5	0	0	0	0	0	0	0	0	0	0	0	0	0	0	0	0	0	0	0	0	0	0	0	0	20	3	0	0	0	0
	10	0	0	0	0	0	0	0	0	0	0	0	0	0	0	0	0	0	0	19	2	0	0	0	0	44	30	24	19	13	7
	15	0	0	0	0	0	0	0	0	0	0	0	0	14	0	0	0	0	0	31	19	13	7	1	0	50	40	36	33	29	26
	20	0	0	0	0	0	0	6	0	0	0	0	0	21	10	3	0	0	0	34	26	23	19	15	11	50	43	40	37	34	32

2000	5	0	0	0	0	0	0	0	0	0	0	0	0	0	0	0	0	0	0	0	0	0	0	0	0	10	0	0	0	0	0
	10	0	0	0	0	0	0	0	0	0	0	0	0	0	0	0	0	0	0	12	0	0	0	0	0	39	24	17	10	3	0
	15	0	0	0	0	0	0	0	0	0	0	0	0	7	0	0	0	0	0	27	13	5	0	0	0	46	36	32	28	24	20
	20	0	0	0	0	0	0	0	0	0	0	0	0	17	2	0	0	0	0	31	23	18	14	9	3	47	40	37	34	31	28
2200	5	0	0	0	0	0	0	0	0	0	0	0	0	0	0	0	0	0	0	0	0	0	0	0	0	2	0	0	0	0	0
	10	0	0	0	0	0	0	0	0	0	0	0	0	0	0	0	0	0	0	3	0	0	0	0	0	34	17	8	1	0	0
	15	0	0	0	0	0	0	0	0	0	0	0	0	0	0	0	0	0	0	23	5	0	0	0	0	43	33	28	23	19	14
	20	0	0	0	0	0	0	0	0	0	0	0	0	13	0	0	0	0	0	29	19	14	7	0	0	45	37	34	31	28	25
2400	5	0	0	0	0	0	0	0	0	0	0	0	0	0	0	0	0	0	0	0	0	0	0	0	0	0	0	0	0	0	0
	10	0	0	0	0	0	0	0	0	0	0	0	0	0	0	0	0	0	0	0	0	0	0	0	0	29	10	0	0	0	0
	15	0	0	0	0	0	0	0	0	0	0	0	0	0	0	0	0	0	0	18	0	0	0	0	0	40	29	24	18	13	6
	20	0	0	0	0	0	0	0	0	0	0	0	0	8	0	0	0	0	0	26	15	8	0	0	0	43	35	31	28	24	21
2600	5	0	0	0	0	0	0	0	0	0	0	0	0	0	0	0	0	0	0	0	0	0	0	0	0	0	0	0	0	0	0
	10	0	0	0	0	0	0	0	0	0	0	0	0	0	0	0	0	0	0	0	0	0	0	0	0	25	1	0	0	0	0
	15	0	0	0	0	0	0	0	0	0	0	0	0	0	0	0	0	0	0	14	0	0	0	0	0	37	25	20	13	5	0
	20	0	0	0	0	0	0	0	0	0	0	0	0	1	0	0	0	0	0	23	10	0	0	0	0	41	32	28	25	21	18

注:如果保护层厚度小于设计、施工或成品要求的最小厚度,按后者取值。

表 C.0.6-3 耐火等级为 3h 时水泥砂浆保护层厚度 d（mm）（夹芯层混凝土厚度 150mm）

外径 (mm)	外管厚度 (mm)	荷载比 0.4						荷载比 0.5						荷载比 0.6						荷载比 0.7						荷载比 0.8					
		配钢率						配钢率						配钢率						配钢率						配钢率					
		0.00	0.02	0.03	0.04	0.05	0.06	0.00	0.02	0.03	0.04	0.05	0.06	0.00	0.02	0.03	0.04	0.05	0.06	0.00	0.02	0.03	0.04	0.05	0.06	0.00	0.02	0.03	0.04	0.05	0.06
600	5	6	0	0	0	0	0	18	6	2	0	0	0	37	21	15	10	6	4	59	44	37	31	26	22	91	75	69	63	58	53
	10	21	8	4	1	0	0	35	24	19	14	10	6	50	41	36	32	28	24	69	60	56	52	49	45	96	86	82	78	75	72
	15	27	19	15	11	7	4	39	32	29	26	23	20	52	46	43	40	38	35	67	61	59	56	54	52	90	84	81	78	76	74
	20	29	24	21	18	15	13	39	34	32	30	28	26	50	45	43	42	40	38	63	59	57	55	53	52	82	78	76	74	72	71
800	5	0	0	0	0	0	0	6	0	0	0	0	0	22	6	2	0	0	0	45	27	20	13	8	5	77	59	52	46	40	34
	10	9	0	0	0	0	0	25	10	4	1	0	0	41	29	23	17	12	7	61	50	45	40	36	32	87	76	71	67	63	59
	15	19	7	2	0	0	0	33	23	18	13	9	5	46	38	34	31	27	24	62	54	51	48	45	42	84	77	73	70	67	65
	20	24	15	11	7	3	0	34	28	25	22	19	16	46	40	38	35	33	31	59	54	51	49	47	45	78	72	70	68	66	64
1000	5	0	0	0	0	0	0	0	0	0	0	0	0	10	0	0	0	0	0	33	14	7	3	0	0	65	46	39	31	25	19
	10	1	0	0	0	0	0	15	1	0	0	0	0	33	18	11	5	1	0	53	40	35	29	24	19	80	67	62	57	53	49
	15	11	0	0	0	0	0	26	14	7	2	0	0	41	31	26	22	17	12	57	48	44	41	37	34	79	70	67	63	60	57
	20	18	6	1	0	0	0	30	22	18	13	9	4	42	35	32	29	26	23	55	49	47	44	42	39	74	68	65	63	61	59
1200	5	0	0	0	0	0	0	0	0	0	0	0	0	3	0	0	0	0	0	23	5	1	0	0	0	55	35	27	20	13	8
	10	0	0	0	0	0	0	6	0	0	0	0	0	25	8	2	0	0	0	47	32	25	19	12	7	73	60	54	49	44	40

	15	3	0	0	0	0	0	20	5	0	0	0	0	36	24	18	12	6	1	52	43	38	34	30	26	74	65	61	57	54	51
	20	12	0	0	0	0	0	26	16	10	4	0	0	38	31	27	23	19	15	52	45	42	39	37	34	71	64	61	58	56	54
1400	5	0	0	0	0	0	0	0	0	0	0	0	0	0	0	0	0	0	0	14	0	0	0	0	0	46	25	16	10	5	1
	10	0	0	0	0	0	0	0	0	0	0	0	0	17	1	0	0	0	0	40	24	16	8	3	0	67	53	47	41	36	31
	15	0	0	0	0	0	0	13	0	0	0	0	0	31	16	9	3	0	0	48	37	32	27	23	18	70	60	56	52	48	45
	20	6	0	0	0	0	0	21	8	1	0	0	0	35	26	21	16	11	6	49	41	38	35	31	28	68	60	57	54	52	49
1600	5	0	0	0	0	0	0	0	0	0	0	0	0	0	0	0	0	0	0	5	0	0	0	0	0	36	14	7	2	0	0
	10	0	0	0	0	0	0	0	0	0	0	0	0	8	0	0	0	0	0	33	14	6	0	0	0	61	46	39	33	27	21
	15	0	0	0	0	0	0	5	0	0	0	0	0	25	8	1	0	0	0	43	31	26	20	14	8	66	55	50	46	42	39
	20	0	0	0	0	0	0	16	1	0	0	0	0	31	20	14	8	2	0	46	37	33	30	26	22	65	57	53	50	47	45
1800	5	0	0	0	0	0	0	0	0	0	0	0	0	0	0	0	0	0	0	0	0	0	0	0	0	25	5	0	0	0	0
	10	0	0	0	0	0	0	0	0	0	0	0	0	1	0	0	0	0	0	25	4	0	0	0	0	54	38	31	24	17	10
	15	0	0	0	0	0	0	0	0	0	0	0	0	18	0	0	0	0	0	38	25	18	10	3	0	61	50	45	41	36	32
	20	0	0	0	0	0	0	9	0	0	0	0	0	27	13	6	0	0	0	42	33	29	24	20	15	61	53	49	46	43	40
2000	5	0	0	0	0	0	0	0	0	0	0	0	0	0	0	0	0	0	0	0	0	0	0	0	0	13	0	0	0	0	0
	10	0	0	0	0	0	0	0	0	0	0	0	0	0	0	0	0	0	0	16	0	0	0	0	0	48	30	22	13	6	0
	15	0	0	0	0	0	0	0	0	0	0	0	0	10	0	0	0	0	0	34	17	8	1	0	0	57	45	40	35	30	26
	20	0	0	0	0	0	0	1	0	0	0	0	0	22	5	0	0	0	0	39	29	24	18	12	5	58	49	46	42	39	36

续表 C. 0. 6-3

外径(mm)	外管厚度(mm)	荷载比0.4						荷载比0.5						荷载比0.6						荷载比0.7						荷载比0.8					
		配钢率						配钢率						配钢率						配钢率						配钢率					
		0.00	0.02	0.03	0.04	0.05	0.06	0.00	0.02	0.03	0.04	0.05	0.06	0.00	0.02	0.03	0.04	0.05	0.06	0.00	0.02	0.03	0.04	0.05	0.06	0.00	0.02	0.03	0.04	0.05	0.06
2200	5	0	0	0	0	0	0	0	0	0	0	0	0	0	0	0	0	0	0	0	0	0	0	0	0	4	0	0	0	0	0
	10	0	0	0	0	0	0	0	0	0	0	0	0	0	0	0	0	0	0	6	0	0	0	0	0	42	22	12	3	0	0
	15	0	0	0	0	0	0	0	0	0	0	0	0	1	0	0	0	0	0	29	8	0	0	0	0	53	41	35	29	24	18
	20	0	0	0	0	0	0	0	0	0	0	0	0	17	0	0	0	0	0	36	24	18	10	2	0	55	46	42	38	35	31
2400	5	0	0	0	0	0	0	0	0	0	0	0	0	0	0	0	0	0	0	0	0	0	0	0	0	0	0	0	0	0	0
	10	0	0	0	0	0	0	0	0	0	0	0	0	0	0	0	0	0	0	0	0	0	0	0	0	37	13	2	0	0	0
	15	0	0	0	0	0	0	0	0	0	0	0	0	0	0	0	0	0	0	24	0	0	0	0	0	50	36	30	24	17	8
	20	0	0	0	0	0	0	0	0	0	0	0	0	11	0	0	0	0	0	33	19	11	1	0	0	53	43	39	35	31	27
2600	5	0	0	0	0	0	0	0	0	0	0	0	0	0	0	0	0	0	0	0	0	0	0	0	0	0	0	0	0	0	0
	10	0	0	0	0	0	0	0	0	0	0	0	0	0	0	0	0	0	0	0	0	0	0	0	0	31	4	0	0	0	0
	15	0	0	0	0	0	0	0	0	0	0	0	0	0	0	0	0	0	0	18	0	0	0	0	0	46	32	25	17	8	0
	20	0	0	0	0	0	0	0	0	0	0	0	0	3	0	0	0	0	0	30	14	2	0	0	0	50	40	36	31	27	23

注：如果保护层厚度小于设计、施工或成品要求的最小厚度，按后者取值。

表 C. 0. 6-4　耐火等级为 3h 时水泥砂浆保护层厚度 d (mm)（夹芯层混凝土厚度 200mm）

外径 (mm)	外管厚度 (mm)	荷载比 0.4						荷载比 0.5						荷载比 0.6						荷载比 0.7						荷载比 0.8					
		配钢率						配钢率						配钢率						配钢率						配钢率					
		0.00	0.02	0.03	0.04	0.05	0.06	0.00	0.02	0.03	0.04	0.05	0.06	0.00	0.02	0.03	0.04	0.05	0.06	0.00	0.02	0.03	0.04	0.05	0.06	0.00	0.02	0.03	0.04	0.05	0.06
600	5	6	0	0	0	0	0	18	6	2	0	0	0	37	21	15	10	7	5	59	44	37	32	27	22	91	75	69	63	58	54
	10	21	8	4	1	0	0	35	24	19	14	10	7	50	41	36	32	28	25	69	60	56	52	49	46	96	86	82	79	75	72
	15	27	19	15	11	8	5	39	32	29	26	23	20	52	46	43	40	38	35	67	61	59	56	54	52	90	84	81	78	76	74
	20	29	24	21	18	16	13	39	34	32	30	28	26	50	45	43	42	40	38	63	59	57	55	54	52	82	78	76	74	72	71
800	5	0	0	0	0	0	0	6	0	0	0	0	0	22	6	2	0	0	0	45	27	20	14	9	5	77	59	52	46	40	35
	10	9	0	0	0	0	0	25	10	4	1	0	0	41	29	23	18	12	8	61	50	45	40	36	32	87	76	71	67	63	59
	15	19	7	2	0	0	0	33	23	18	14	9	5	46	38	34	31	27	24	62	54	51	48	45	43	84	77	73	70	68	65
	20	24	15	11	7	3	0	34	28	25	22	19	16	46	40	38	35	33	31	59	54	51	49	47	45	78	72	70	68	66	64
1000	5	0	0	0	0	0	0	0	0	0	0	0	0	10	0	0	0	0	0	33	14	7	3	0	0	65	46	39	32	25	19
	10	1	0	0	0	0	0	15	0	0	0	0	0	33	18	11	5	1	0	53	40	35	29	24	19	80	67	62	57	53	49
	15	11	0	0	0	0	0	26	14	7	2	0	0	41	31	26	22	17	12	57	48	44	41	37	34	79	70	67	63	60	58
	20	18	6	1	0	0	0	30	22	18	13	9	4	42	35	32	29	26	23	55	49	47	44	42	39	74	68	65	63	61	59
1200	5	0	0	0	0	0	0	0	0	0	0	0	0	3	0	0	0	0	0	23	5	0	0	0	0	55	35	27	20	13	8
	10	0	0	0	0	0	0	6	0	0	0	0	0	25	8	2	0	0	0	47	32	25	19	12	7	73	60	54	49	44	40

续表 C.0.6-4

外径(mm)	外管厚度(mm)	荷载比0.4						荷载比0.5						荷载比0.6						荷载比0.7						荷载比0.8					
		配钢率						配钢率						配钢率						配钢率						配钢率					
		0.00	0.02	0.03	0.04	0.05	0.06	0.00	0.02	0.03	0.04	0.05	0.06	0.00	0.02	0.03	0.04	0.05	0.06	0.00	0.02	0.03	0.04	0.05	0.06	0.00	0.02	0.03	0.04	0.05	0.06
1200	15	3	0	0	0	0	0	20	4	0	0	0	0	36	24	18	12	6	1	52	43	38	34	30	26	74	65	61	57	54	51
	20	12	0	0	0	0	0	26	15	10	4	0	0	38	31	27	23	19	15	52	45	42	39	37	34	71	64	61	58	56	54
1400	5	0	0	0	0	0	0	0	0	0	0	0	0	0	0	0	0	0	0	14	0	0	0	0	0	46	25	16	10	5	1
	10	0	0	0	0	0	0	0	0	0	0	0	0	17	0	0	0	0	0	40	23	16	8	3	0	67	53	47	41	36	31
	15	0	0	0	0	0	0	13	0	0	0	0	0	31	16	9	3	0	0	48	37	32	27	23	18	70	60	56	52	48	45
	20	6	0	0	0	0	0	21	8	1	0	0	0	35	26	21	16	11	6	49	41	38	35	31	28	68	60	57	54	52	49
1600	5	0	0	0	0	0	0	0	0	0	0	0	0	0	0	0	0	0	0	5	0	0	0	0	0	36	14	7	2	0	0
	10	0	0	0	0	0	0	0	0	0	0	0	0	8	0	0	0	0	0	33	14	6	0	0	0	61	46	39	33	27	21
	15	0	0	0	0	0	0	5	0	0	0	0	0	25	8	1	0	0	0	43	31	26	20	14	8	66	55	51	46	42	39
	20	0	0	0	0	0	0	16	0	0	0	0	0	31	20	14	8	2	0	46	37	33	30	26	22	65	57	53	50	47	45
1800	5	0	0	0	0	0	0	0	0	0	0	0	0	0	0	0	0	0	0	0	0	0	0	0	0	25	5	0	0	0	0
	10	0	0	0	0	0	0	0	0	0	0	0	0	1	0	0	0	0	0	25	4	0	0	0	0	54	38	31	24	17	10
	15	0	0	0	0	0	0	0	0	0	0	0	0	18	0	0	0	0	0	38	25	18	10	3	0	61	50	45	41	36	32
	20	0	0	0	0	0	0	9	0	0	0	0	0	27	13	5	0	0	0	42	33	29	24	20	15	61	53	49	46	43	40

2000	5	0	0	0	0	0	0	0	0	0	0	0	0	0	0	0	0	0	0	0	0	0	0	0	0	13	0	0	0	0	0
	10	0	0	0	0	0	0	0	0	0	0	0	0	0	0	0	0	0	0	16	0	0	0	0	0	48	30	22	13	6	0
	15	0	0	0	0	0	0	0	0	0	0	0	0	10	0	0	0	0	0	34	17	8	1	0	0	57	45	40	35	30	26
	20	0	0	0	0	0	0	1	0	0	0	0	0	22	4	0	0	0	0	39	29	24	18	12	5	58	49	46	42	39	36
2200	5	0	0	0	0	0	0	0	0	0	0	0	0	0	0	0	0	0	0	0	0	0	0	0	0	4	0	0	0	0	0
	10	0	0	0	0	0	0	0	0	0	0	0	0	0	0	0	0	0	0	6	0	0	0	0	0	42	22	12	3	0	0
	15	0	0	0	0	0	0	0	0	0	0	0	0	1	0	0	0	0	0	29	8	0	0	0	0	53	41	35	29	24	18
	20	0	0	0	0	0	0	0	0	0	0	0	0	17	0	0	0	0	0	36	24	18	10	2	0	55	46	42	38	35	31
2400	5	0	0	0	0	0	0	0	0	0	0	0	0	0	0	0	0	0	0	0	0	0	0	0	0	0	0	0	0	0	0
	10	0	0	0	0	0	0	0	0	0	0	0	0	0	0	0	0	0	0	0	0	0	0	0	0	37	13	2	0	0	0
	15	0	0	0	0	0	0	0	0	0	0	0	0	0	0	0	0	0	0	24	0	0	0	0	0	50	36	30	24	17	9
	20	0	0	0	0	0	0	0	0	0	0	0	0	11	0	0	0	0	0	33	19	11	1	0	0	53	43	39	35	31	27
2600	5	0	0	0	0	0	0	0	0	0	0	0	0	0	0	0	0	0	0	0	0	0	0	0	0	0	0	0	0	0	0
	10	0	0	0	0	0	0	0	0	0	0	0	0	0	0	0	0	0	0	0	0	0	0	0	0	31	3	0	0	0	0
	15	0	0	0	0	0	0	0	0	0	0	0	0	0	0	0	0	0	0	18	0	0	0	0	0	46	32	25	17	8	0
	20	0	0	0	0	0	0	0	0	0	0	0	0	3	0	0	0	0	0	30	14	1	0	0	0	50	40	36	31	27	23

注：如果保护层厚度小于设计、施工或成品要求的最小厚度，按后者取值。

C. 0. 7 钢管外壁没有保护层涂料时，内配单层圆钢管的空心圆形钢管混凝土构件的耐火时间可按表 C. 0. 7-1 和表 C. 0. 7-2 取值。

表 C. 0. 7-1 不同荷载比下构件的耐火时间 t (min)(夹芯层混凝土厚度 150mm)

外径(mm)	外管厚度(mm)	荷载比 0.4						荷载比 0.5						荷载比 0.6						荷载比 0.7						荷载比 0.8					
		配钢率						配钢率						配钢率						配钢率						配钢率					
		0.00	0.02	0.03	0.04	0.05	0.06	0.00	0.02	0.03	0.04	0.05	0.06	0.00	0.02	0.03	0.04	0.05	0.06	0.00	0.02	0.03	0.04	0.05	0.06	0.00	0.02	0.03	0.04	0.05	0.06
600	5	60	121	172	>240	>240	>240	37	60	78	103	136	180	25	34	40	48	57	70	18	22	24	27	30	33	13	15	16	17	18	19
	10	39	54	67	85	111	146	29	35	39	44	50	57	22	25	27	29	31	33	17	19	20	21	22	23	13	14	15	15	16	16
	15	36	43	47	53	60	69	28	31	33	35	38	40	23	25	26	27	28	29	18	19	20	21	21	22	14	15	15	16	16	16
	20	36	40	42	45	48	52	29	31	33	34	35	37	24	25	26	27	28	28	20	21	21	22	22	22	16	16	16	17	17	17
800	5	71	165	>240	>240	>240	>240	41	74	105	150	215	>240	27	38	47	59	77	101	19	24	27	30	34	39	13	16	17	18	19	21
	10	42	64	85	120	173	>240	30	38	43	50	61	75	23	27	29	31	34	37	18	20	21	22	23	24	13	14	15	16	16	17
	15	37	46	52	61	73	92	29	33	35	38	41	45	23	25	27	28	29	31	18	20	21	21	22	23	14	15	16	16	16	17
	20	37	42	45	49	54	59	30	32	34	36	37	39	24	26	27	28	29	30	20	21	21	22	23	23	16	16	17	17	17	18
1000	5	79	198	>240	>240	>240	>240	44	86	126	188	>240	>240	28	41	53	69	93	127	19	25	28	32	37	43	13	16	17	19	20	22
	10	44	72	101	150	229	>240	31	40	46	56	70	91	23	27	30	33	36	40	18	20	21	23	24	25	13	15	15	16	17	17
	15	38	48	56	68	85	114	29	34	37	40	43	48	23	26	27	29	30	32	19	20	21	22	22	23	14	15	16	16	17	17
	20	37	43	47	52	57	65	30	33	35	36	38	41	24	26	27	28	29	30	20	21	22	22	23	23	16	17	17	17	18	18

1200	5	85	225	>240	>240	>240	>240	46	95	143	219	>240	>240	29	44	57	77	106	151	20	25	29	33	39	47	14	16	18	19	21	22
	10	45	78	114	176	>240	>240	31	41	49	60	78	106	23	28	31	34	37	42	18	20	22	23	24	26	13	15	15	16	17	18
	15	39	50	59	73	96	135	30	34	37	41	45	50	23	26	28	29	31	32	19	20	21	22	23	24	14	15	16	16	17	17
	20	38	44	48	54	60	70	30	33	35	37	39	42	25	27	28	29	30	31	20	21	22	23	23	24	16	17	17	17	18	18
1400	5	89	>240	>240	>240	>240	>240	47	102	158	>240	>240	>240	29	46	60	83	118	171	20	26	30	35	41	49	14	17	18	19	21	23
	10	46	83	125	198	>240	>240	32	42	51	64	84	119	24	28	31	34	38	43	18	21	22	23	25	26	13	15	16	16	17	18
	15	39	52	62	78	105	155	30	35	38	42	46	52	24	26	28	29	31	33	19	20	21	22	23	24	14	16	16	16	17	17
	20	38	45	49	55	63	74	30	34	36	38	40	43	25	27	28	29	30	31	20	21	22	23	23	24	16	17	17	18	18	18
1600	5	93	>240	>240	>240	>240	>240	48	108	170	>240	>240	>240	30	47	63	89	129	190	20	26	31	36	43	52	14	17	18	20	21	23
	10	47	87	134	219	>240	>240	32	43	52	67	90	131	24	29	32	35	39	45	18	21	22	24	25	27	14	15	16	16	17	18
	15	40	53	64	82	114	173	30	35	39	43	47	54	24	27	28	30	32	33	19	21	21	22	23	24	15	16	16	17	17	18
	20	38	45	50	56	65	77	30	34	36	38	40	43	25	27	28	29	30	31	20	21	22	23	23	24	16	17	17	18	18	18
1800	5	96	>240	>240	>240	>240	>240	49	113	182	>240	>240	>240	30	49	66	94	138	208	20	27	31	37	44	54	14	17	18	20	22	24
	10	48	91	143	238	>240	>240	32	44	54	69	96	142	24	29	32	36	40	46	18	21	22	24	25	27	14	15	16	17	17	18
	15	40	54	65	85	122	190	30	36	39	43	48	55	24	27	28	30	32	34	19	21	21	22	23	24	15	16	16	17	17	18
	20	39	46	51	57	67	81	31	34	36	38	41	44	25	27	28	29	30	32	20	22	22	23	24	24	16	17	17	18	18	18
2000	5	98	>240	>240	>240	>240	>240	50	118	192	>240	>240	>240	30	50	68	99	147	226	21	27	32	37	45	56	14	17	19	20	22	24
	10	48	94	150	>240	>240	>240	32	45	55	72	101	152	24	29	32	36	41	47	18	21	22	24	26	27	14	15	16	17	17	18
	15	40	54	67	89	129	206	30	36	39	44	49	57	24	27	28	30	32	34	19	21	22	22	23	24	15	16	16	17	17	18
	20	39	46	51	58	68	83	31	34	36	39	41	44	25	27	28	29	31	32	20	22	22	23	24	24	16	17	17	18	18	18

续表 C.0.7-1

外径(mm)	外管厚度(mm)	荷载比 0.4						荷载比 0.5						荷载比 0.6						荷载比 0.7						荷载比 0.8					
		配钢率						配钢率						配钢率						配钢率						配钢率					
		0.00	0.02	0.03	0.04	0.05	0.06	0.00	0.02	0.03	0.04	0.05	0.06	0.00	0.02	0.03	0.04	0.05	0.06	0.00	0.02	0.03	0.04	0.05	0.06	0.00	0.02	0.03	0.04	0.05	0.06
2200	5	100	>240	>240	>240	>240	>240	51	122	202	>240	>240	>240	31	51	70	103	155	>240	21	27	32	38	46	58	14	17	19	20	22	24
	10	49	97	157	>240	>240	>240	33	45	56	74	106	162	24	29	33	36	41	48	18	21	23	24	26	27	14	15	16	17	17	18
	15	40	55	68	92	136	222	30	36	40	44	50	58	24	27	29	30	32	34	19	21	22	23	23	24	15	16	16	17	17	18
	20	39	47	52	59	69	86	31	34	37	39	42	45	25	27	28	29	31	32	20	22	22	23	24	24	16	17	17	18	18	19
2400	5	102	>240	>240	>240	>240	>240	52	126	211	>240	>240	>240	31	52	72	107	163	>240	21	28	32	39	47	60	14	17	19	20	22	25
	10	49	99	164	>240	>240	>240	33	46	57	76	110	172	24	30	33	37	42	49	18	21	23	24	26	28	14	15	16	17	17	18
	15	41	56	69	94	142	238	30	36	40	45	50	59	24	27	29	30	32	35	19	21	22	23	24	25	15	16	16	17	17	18
	20	39	47	52	60	71	88	31	35	37	39	42	45	25	27	28	30	31	32	20	22	22	23	24	24	16	17	17	18	18	19
2600	5	103	>240	>240	>240	>240	>240	52	129	220	>240	>240	>240	31	52	74	110	171	>240	21	28	33	39	48	62	14	17	19	21	23	25
	10	49	102	170	>240	>240	>240	33	46	58	78	114	181	24	30	33	37	42	49	18	21	23	24	26	28	14	15	16	17	18	18
	15	41	56	71	97	148	>240	31	36	40	45	51	59	24	27	29	31	33	35	19	21	22	23	24	25	15	16	16	17	17	18
	20	39	47	53	60	72	91	31	35	37	39	42	45	25	27	28	30	31	32	20	22	22	23	24	24	16	17	17	18	18	19

注：1　荷载比为荷载设计值与构件承载力设计值的比值；

2　夹芯层混凝土厚度指外钢管内表面和内钢管外表面之间的距离。

表 C.0.7-2 不同荷载比下构件的耐火时间 t (min)(夹芯层混凝土厚度 200mm)

外径(mm)	外管厚度(mm)	荷载比 0.4						荷载比 0.5						荷载比 0.6						荷载比 0.7						荷载比 0.8					
		配钢率						配钢率						配钢率						配钢率						配钢率					
		0.00	0.02	0.03	0.04	0.05	0.06	0.00	0.02	0.03	0.04	0.05	0.06	0.00	0.02	0.03	0.04	0.05	0.06	0.00	0.02	0.03	0.04	0.05	0.06	0.00	0.02	0.03	0.04	0.05	0.06
600	5	81	175	>240	>240	>240	>240	45	83	111	145	184	228	29	42	52	64	79	96	20	25	28	32	36	41	14	16	17	19	20	21
	10	45	71	94	124	160	201	31	40	46	55	65	78	23	28	30	33	36	39	18	20	21	23	24	25	13	15	15	16	17	17
	15	39	49	56	65	78	94	29	34	37	40	43	47	23	26	27	29	30	32	19	20	21	22	22	23	14	15	16	16	17	17
	20	38	43	47	51	56	62	30	33	35	36	38	40	25	26	27	28	29	30	20	21	22	22	23	23	16	17	17	17	18	18
800	5	110	>240	>240	>240	>240	>240	56	122	181	>240	>240	>240	33	54	72	97	131	177	22	29	33	39	47	56	15	18	19	21	23	25
	10	52	101	151	230	>240	>240	34	48	59	76	101	138	25	30	34	38	43	49	19	22	23	25	26	28	14	15	16	17	18	18
	15	42	57	71	92	126	178	31	37	41	45	51	59	24	27	29	31	33	35	19	21	22	23	24	25	15	16	16	17	17	18
	20	40	48	53	60	70	85	31	35	37	39	42	45	25	27	29	30	31	32	20	22	23	23	24	25	16	17	17	18	18	19
1000	5	132	>240	>240	>240	>240	>240	64	155	>240	>240	>240	>240	35	63	89	127	182	>240	23	31	37	45	56	71	15	18	20	22	24	27
	10	58	129	207	>240	>240	>240	36	53	70	97	140	208	26	32	36	41	48	58	19	22	24	26	28	30	14	16	17	17	18	19
	15	44	65	85	122	183	>240	32	39	44	50	58	70	25	28	30	32	35	37	20	22	23	24	25	26	15	16	17	17	18	18
	20	41	51	58	69	85	111	32	36	39	42	45	49	26	28	29	31	32	34	21	22	23	24	25	25	16	17	18	18	19	19
1200	5	149	>240	>240	>240	>240	>240	71	183	>240	>240	>240	>240	37	71	104	153	229	>240	23	33	40	50	64	84	15	19	21	23	26	28
	10	62	153	>240	>240	>240	>240	37	58	80	116	177	>240	26	33	38	44	53	66	20	23	25	27	29	31	14	16	17	18	19	20

续表 C.0.7-2

外径(mm)	外管厚度(mm)	荷载比0.4 配钢率						荷载比0.5 配钢率						荷载比0.6 配钢率						荷载比0.7 配钢率						荷载比0.8 配钢率					
		0.00	0.02	0.03	0.04	0.05	0.06	0.00	0.02	0.03	0.04	0.05	0.06	0.00	0.02	0.03	0.04	0.05	0.06	0.00	0.02	0.03	0.04	0.05	0.06	0.00	0.02	0.03	0.04	0.05	0.06
1200	15	46	71	99	150	>240	>240	33	41	46	54	64	81	25	29	31	33	36	39	20	22	23	24	25	26	15	16	17	18	18	19
	20	42	53	62	76	99	140	32	37	40	43	47	52	26	29	30	31	33	35	21	22	23	24	25	26	16	17	18	18	19	19
1400	5	163	>240	>240	>240	>240	>240	76	206	>240	>240	>240	>240	39	78	116	176	>240	>240	24	34	42	54	71	96	16	19	22	24	27	30
	10	66	173	>240	>240	>240	>240	38	62	88	133	212	>240	27	34	40	47	57	73	20	23	25	27	30	33	14	16	17	18	19	20
	15	47	76	111	176	>240	>240	33	42	48	57	70	91	26	29	32	34	37	41	20	22	23	24	26	27	15	17	17	18	18	19
	20	43	55	65	82	113	169	33	38	41	44	49	54	26	29	30	32	34	35	21	23	24	24	25	26	16	18	18	19	19	19
1600	5	174	>240	>240	>240	>240	>240	80	227	>240	>240	>240	>240	40	83	127	197	>240	>240	24	35	44	57	77	106	16	20	22	25	27	31
	10	69	191	>240	>240	>240	>240	39	66	96	149	>240	>240	27	35	41	49	61	80	20	24	26	28	30	33	15	16	17	18	19	20
	15	48	81	121	200	>240	>240	34	43	49	59	75	101	25	30	32	35	38	42	20	22	23	25	26	27	15	17	17	18	19	19
	20	43	57	68	88	126	197	33	38	41	45	50	56	25	29	31	32	34	36	21	23	24	25	25	26	17	18	18	19	19	20
1800	5	184	>240	>240	>240	>240	>240	83	>240	>240	>240	>240	>240	41	88	136	215	>240	>240	25	36	46	60	82	115	16	20	22	25	28	32
	10	71	207	>240	>240	>240	>240	40	69	102	163	>240	>240	27	36	42	51	64	86	20	24	26	28	31	34	15	17	18	19	20	21
	15	49	85	131	222	>240	>240	34	43	51	61	79	111	25	30	33	35	39	43	20	22	24	25	26	28	15	17	17	18	19	19
	20	44	58	71	94	138	224	33	39	42	46	51	58	26	29	31	33	34	36	21	23	24	25	26	27	17	18	18	19	19	20

2000	5	192	>240	>240	>240	>240	>240	86	>240	>240	>240	>240	>240	42	92	144	233	>240	>240	25	37	47	63	87	124	16	20	23	25	29	33
	10	73	221	>240	>240	>240	>240	40	71	108	177	>240	>240	28	36	43	52	67	92	20	24	26	29	31	35	15	17	18	19	20	21
	15	49	88	139	>240	>240	>240	34	44	52	63	83	119	26	30	33	36	39	44	20	23	24	25	26	28	15	17	17	18	19	19
	20	44	59	73	98	149	>240	33	39	43	47	52	60	26	29	31	33	35	37	21	23	24	25	26	27	17	18	18	19	19	20
2200	5	199	>240	>240	>240	>240	>240	88	>240	>240	>240	>240	>240	43	95	152	>240	>240	>240	25	38	49	66	92	132	16	20	23	26	29	33
	10	75	234	>240	>240	>240	>240	41	73	114	189	>240	>240	28	37	44	54	70	97	20	24	26	29	32	35	15	17	18	19	20	21
	15	50	91	147	>240	>240	>240	34	45	53	65	87	127	26	31	33	36	40	44	20	23	24	25	27	28	15	17	18	18	19	20
	20	44	60	75	103	160	>240	33	39	43	47	53	61	27	30	31	33	35	37	21	23	24	25	26	27	17	18	18	19	19	20
2400	5	204	>240	>240	>240	>240	>240	90	>240	>240	>240	>240	>240	43	99	159	>240	>240	>240	25	39	50	68	96	140	16	21	23	26	30	34
	10	77	>240	>240	>240	>240	>240	41	76	118	201	>240	>240	28	37	44	55	72	102	20	24	27	29	32	36	15	17	18	19	20	21
	15	50	94	155	>240	>240	>240	35	45	54	67	90	135	26	31	33	37	40	45	20	23	24	25	27	28	15	17	18	18	19	20
	20	44	61	77	107	170	>240	34	39	43	48	54	62	27	30	31	33	35	37	21	23	24	25	26	27	17	18	18	19	19	20
2600	5	210	>240	>240	>240	>240	>240	92	>240	>240	>240	>240	>240	44	102	165	>240	>240	>240	26	39	51	70	100	147	16	21	23	26	30	34
	10	78	>240	>240	>240	>240	>240	42	77	123	212	>240	>240	28	38	45	56	74	107	20	24	27	29	33	36	15	17	18	19	20	21
	15	51	97	161	>240	>240	>240	35	46	54	68	94	143	26	31	34	37	41	45	20	23	24	26	27	28	15	17	18	18	19	20
	20	45	61	78	111	179	>240	34	40	44	48	55	64	27	30	32	33	35	38	21	23	24	25	26	27	17	18	18	19	19	20

注:1　荷载比为荷载设计值与构件承载力设计值的比值；

2　夹芯层混凝土厚度指外钢管内表面和内钢管外表面之间的距离。

C.0.8 当防火材料为非膨胀型涂料时，内配单层圆钢管的空心圆形钢管混凝土构件保护层厚度可按表 C.0.8-1～表 C.0.8-4 取值。

表 C.0.8-1 耐火等级为 2.5h 时非膨胀型防火涂料厚度 *d*（mm）（夹芯层混凝土厚度 150mm）

外径(mm)	外管厚度(mm)	荷载比0.4						荷载比0.5						荷载比0.6						荷载比0.7						荷载比0.8					
		配钢率						配钢率						配钢率						配钢率						配钢率					
		0.00	0.02	0.03	0.04	0.05	0.06	0.00	0.02	0.03	0.04	0.05	0.06	0.00	0.02	0.03	0.04	0.05	0.06	0.00	0.02	0.03	0.04	0.05	0.06	0.00	0.02	0.03	0.04	0.05	0.06
600	5	3	0	0	0	0	0	6	3	2	1	0	0	9	7	5	4	3	2	14	11	10	9	8	7	20	17	16	15	14	13
	10	5	3	2	1	1	0	8	6	5	5	4	3	11	9	9	8	7	7	15	13	12	12	11	11	20	18	18	17	16	16
	15	6	5	4	4	3	2	8	7	7	6	6	5	11	10	9	9	8	8	14	13	12	12	12	11	18	17	17	16	16	16
	20	6	5	5	4	4	4	8	7	7	7	6	6	10	9	9	9	8	8	13	12	12	11	11	11	16	16	15	15	15	15
800	5	2	0	0	0	0	0	5	2	1	0	0	0	9	6	4	3	2	1	13	10	9	8	7	5	20	17	15	14	13	12
	10	5	3	1	0	0	0	8	6	5	4	3	2	11	9	8	7	7	6	14	13	12	11	10	10	20	18	17	16	16	15
	15	6	4	4	3	2	1	8	7	6	6	5	4	11	9	9	8	8	7	14	12	12	12	11	11	18	17	16	16	15	15
	20	6	5	4	4	3	3	8	7	7	6	6	5	10	9	9	8	8	8	13	12	11	11	11	10	16	15	15	15	14	14
1000	5	2	0	0	0	0	0	5	1	0	0	0	0	8	5	4	2	1	0	13	10	8	7	6	5	19	16	15	13	12	11
	10	5	2	1	0	0	0	7	5	4	3	2	1	10	9	8	7	6	5	14	12	12	11	10	9	20	18	17	16	15	15
	15	6	4	3	2	1	1	8	7	6	5	5	4	10	9	9	8	8	7	13	12	12	11	11	10	18	17	16	16	15	15
	20	6	5	4	4	3	2	8	7	6	6	6	5	10	9	9	8	8	8	12	12	11	11	11	10	16	15	15	15	14	14

1200	5	1	0	0	0	0	0	4	1	0	0	0	0	8	5	3	2	1	0	13	9	8	7	5	4	19	16	14	13	12	11
	10	4	2	1	0	0	0	7	5	4	3	2	1	10	8	7	7	6	5	14	12	11	11	10	9	19	17	17	16	15	14
	15	5	4	3	2	1	0	8	6	6	5	4	4	10	9	8	8	7	7	13	12	12	11	11	10	18	17	16	16	15	15
	20	6	5	4	3	3	2	8	7	6	6	5	5	10	9	8	8	8	7	12	11	11	11	10	10	16	15	15	14	14	14
1400	5	1	0	0	0	0	0	4	1	0	0	0	0	8	4	3	2	1	0	12	9	8	6	5	4	19	15	14	13	12	11
	10	4	2	0	0	0	0	7	5	4	3	1	0	10	8	7	6	6	5	14	12	11	10	10	9	19	17	16	16	15	14
	15	5	4	3	2	1	0	8	6	6	5	4	4	10	9	8	8	7	7	13	12	12	11	11	10	18	16	16	15	15	14
	20	6	4	4	3	3	2	8	7	6	6	5	5	10	9	8	8	8	7	12	11	11	11	10	10	16	15	15	14	14	14
1600	5	1	0	0	0	0	0	4	1	0	0	0	0	8	4	3	1	0	0	12	9	7	6	5	4	19	15	14	13	11	10
	10	4	1	0	0	0	0	7	5	4	2	1	0	10	8	7	6	5	4	14	12	11	10	9	9	19	17	16	15	15	14
	15	5	4	3	2	1	0	8	6	5	5	4	3	10	9	8	8	7	7	13	12	11	11	10	10	18	16	16	15	15	14
	20	6	4	4	3	2	2	7	7	6	6	5	5	10	9	8	8	8	7	12	11	11	11	10	10	16	15	15	14	14	14
1800	5	1	0	0	0	0	0	4	1	0	0	0	0	8	4	2	1	0	0	12	9	7	6	5	3	19	15	14	12	11	10
	10	4	1	0	0	0	0	7	5	3	2	1	0	10	8	7	6	5	4	14	12	11	10	9	9	19	17	16	15	15	14
	15	5	3	2	1	0	0	8	6	5	5	4	3	10	9	8	8	7	7	13	12	11	11	10	10	18	16	16	15	15	14
	20	5	4	4	3	2	2	7	6	6	6	5	5	10	9	8	8	7	7	12	11	11	11	10	10	16	15	15	14	14	14
2000	5	1	0	0	0	0	0	4	1	0	0	0	0	7	4	2	1	0	0	12	9	7	6	4	3	18	15	14	12	11	10
	10	4	1	0	0	0	0	7	4	3	2	1	0	10	8	7	6	5	4	14	12	11	10	9	9	19	17	16	15	15	14
	15	5	3	2	1	0	0	8	6	5	5	4	3	10	9	8	8	7	6	13	12	11	11	10	10	18	16	16	15	15	14
	20	5	4	4	3	2	2	7	6	6	5	5	5	10	9	8	8	7	7	12	11	11	11	10	10	16	15	15	14	14	14

续表 C.0.8-1

外径(mm)	外管厚度(mm)	荷载比0.4						荷载比0.5						荷载比0.6						荷载比0.7						荷载比0.8					
		配钢率						配钢率						配钢率						配钢率						配钢率					
		0.00	0.02	0.03	0.04	0.05	0.06	0.00	0.02	0.03	0.04	0.05	0.06	0.00	0.02	0.03	0.04	0.05	0.06	0.00	0.02	0.03	0.04	0.05	0.06	0.00	0.02	0.03	0.04	0.05	0.06
2200	5	1	0	0	0	0	0	4	0	0	0	0	0	7	4	2	1	0	0	12	9	7	6	4	3	18	15	13	12	11	10
	10	4	1	0	0	0	0	7	4	3	2	1	0	10	8	7	6	5	4	14	12	11	10	9	8	19	17	16	15	14	14
	15	5	3	2	1	0	0	7	6	5	5	4	3	10	9	8	8	7	6	13	12	11	11	10	10	18	16	16	15	15	14
	20	5	4	4	3	2	1	7	6	6	5	5	4	10	9	8	8	7	7	12	11	11	11	10	10	16	15	15	14	14	14
2400	5	1	0	0	0	0	0	4	0	0	0	0	0	[illegible]	4	2	1	0	0	12	8	7	5	4	3	18	15	13	12	11	10
	10	4	1	0	0	0	0	7	4	3	2	1	0	10	8	7	6	5	4	14	12	11	10	9	8	19	17	16	15	14	14
	15	5	3	2	1	0	0	7	6	5	5	4	3	10	9	8	7	7	6	13	12	11	11	10	10	18	16	16	15	15	14
	20	5	4	4	3	2	1	7	6	6	5	5	4	10	9	8	8	7	7	12	11	11	10	10	10	16	15	15	14	14	13
2600	5	1	0	0	0	0	0	4	0	0	0	0	0	7	4	2	1	0	0	12	8	7	5	4	3	18	15	13	12	11	10
	10	4	1	0	0	0	0	7	4	3	2	1	0	10	8	7	6	5	4	14	12	11	10	9	8	19	17	16	15	14	14
	15	5	3	2	1	0	0	7	6	5	4	4	3	10	9	8	7	7	6	13	12	11	11	10	10	18	16	16	15	15	14
	20	5	4	4	3	2	1	7	6	6	5	5	4	10	9	8	8	7	7	12	11	11	10	10	10	16	15	15	14	14	13

注：1　保护层导热系数常温下满足 $\lambda \leqslant 0.116$W(m · ℃)；

2　如果保护层厚度小于设计、施工或成品要求的最小厚度，按后者取值。

表 C.0.8-2 耐火等级为 3h 时非膨胀型防火涂料厚度 d（mm）（夹芯层混凝土厚度 150mm）

外径(mm)	外管厚度(mm)	荷载比0.4						荷载比0.5						荷载比0.6						荷载比0.7						荷载比0.8					
		配钢率						配钢率						配钢率						配钢率						配钢率					
		0.00	0.02	0.03	0.04	0.05	0.06	0.00	0.02	0.03	0.04	0.05	0.06	0.00	0.02	0.03	0.04	0.05	0.06	0.00	0.02	0.03	0.04	0.05	0.06	0.00	0.02	0.03	0.04	0.05	0.06
600	5	4	1	0	0	0	0	7	4	2	1	1	0	12	8	7	5	4	3	17	14	12	11	10	9	25	21	20	18	17	16
	10	7	4	3	2	1	0	10	8	7	6	5	4	14	12	11	10	9	8	18	16	15	14	14	13	25	23	22	21	20	19
	15	8	6	5	5	4	3	10	9	8	8	7	7	13	12	11	11	10	10	17	16	15	15	14	14	22	21	21	20	19	19
	20	8	7	6	6	5	5	10	9	9	8	8	7	12	12	11	11	10	10	16	15	14	14	14	13	20	19	19	18	18	18
800	5	3	0	0	0	0	0	6	3	1	0	0	0	11	7	5	4	3	2	16	13	11	10	8	7	24	20	19	17	16	15
	10	6	3	2	1	0	0	10	7	6	5	4	3	13	11	10	9	8	7	18	16	15	14	13	12	24	22	21	20	19	18
	15	7	6	5	4	3	2	10	9	8	7	6	6	13	12	11	10	10	9	17	15	15	14	14	13	22	21	20	19	19	18
	20	7	6	6	5	4	4	10	9	8	8	7	7	12	11	11	10	10	10	15	14	14	14	13	13	20	19	19	18	18	17
1000	5	2	0	0	0	0	0	6	2	1	0	0	0	10	6	5	3	2	1	16	12	10	9	7	6	23	20	18	16	15	14
	10	6	3	1	0	0	0	9	7	5	4	3	2	13	11	10	9	8	7	17	15	14	13	12	12	24	22	21	20	19	18
	15	7	5	4	3	2	1	10	8	7	7	6	5	13	11	11	10	9	9	17	15	15	14	13	13	22	20	20	19	19	18
	20	7	6	5	5	4	3	10	8	8	7	7	7	12	11	11	10	10	9	15	14	14	13	13	13	20	19	18	18	18	17
1200	5	2	0	0	0	0	0	6	2	0	0	0	0	10	6	4	3	1	0	15	12	10	8	7	5	23	19	17	16	15	13
	10	6	2	1	0	0	0	9	6	5	4	3	1	13	10	9	8	7	6	17	15	14	13	12	11	24	21	20	19	18	18

续表 C.0.8-2

外径(mm)	外管厚度(mm)	荷载比 0.4						荷载比 0.5						荷载比 0.6						荷载比 0.7						荷载比 0.8					
		配钢率						配钢率						配钢率						配钢率						配钢率					
		0.00	0.02	0.03	0.04	0.05	0.06	0.00	0.02	0.03	0.04	0.05	0.06	0.00	0.02	0.03	0.04	0.05	0.06	0.00	0.02	0.03	0.04	0.05	0.06	0.00	0.02	0.03	0.04	0.05	0.06
1200	15	7	5	4	3	2	1	10	8	7	6	6	5	13	11	11	10	9	9	16	15	14	14	13	13	22	20	20	19	18	18
	20	7	6	5	4	4	3	9	8	8	7	7	6	12	11	11	10	10	9	15	14	14	13	13	13	20	19	18	18	17	17
1400	5	2	0	0	0	0	0	5	1	0	0	0	0	10	6	4	2	1	0	15	11	10	8	6	5	23	19	17	16	14	13
	10	5	2	1	0	0	0	9	6	5	3	2	1	13	10	9	8	7	6	17	15	14	13	12	11	23	21	20	19	18	17
	15	7	5	4	3	1	0	10	8	7	6	5	5	13	11	10	10	9	8	16	15	14	14	13	12	22	20	19	19	18	18
	20	7	6	5	4	4	3	9	8	8	7	7	6	12	11	10	10	10	9	15	14	14	13	13	12	20	19	18	18	17	17
1600	5	2	0	0	0	0	0	5	1	0	0	0	0	10	5	3	2	1	0	15	11	9	8	6	5	23	19	17	15	14	13
	10	5	2	1	0	0	0	9	6	5	3	2	1	12	10	9	8	7	6	17	15	14	13	12	11	23	21	20	19	18	17
	15	7	5	3	2	1	0	10	8	7	6	5	4	13	11	10	10	9	8	16	15	14	13	13	12	22	20	19	19	18	18
	20	7	6	5	4	3	3	9	8	8	7	7	6	12	11	10	10	9	9	15	14	14	13	13	12	20	19	18	18	17	17
1800	5	2	0	0	0	0	0	5	1	0	0	0	0	9	5	3	2	1	0	15	11	9	7	6	4	23	18	17	15	14	13
	10	5	2	0	0	0	0	9	6	4	3	2	1	12	10	9	8	7	6	17	15	13	13	12	11	23	21	20	19	18	17
	15	7	4	3	2	1	0	9	8	7	6	5	4	12	11	10	10	9	8	16	15	14	13	13	12	22	20	19	19	18	18
	20	7	6	5	4	3	2	9	8	8	7	6	6	12	11	10	10	9	9	15	14	14	13	13	12	20	18	18	18	17	17

2000	5	2	0	0	0	0	0	5	1	0	0	0	0	9	5	3	2	0	0	15	11	9	7	6	4	22	18	17	15	14	12
	10	5	2	0	0	0	0	9	6	4	3	1	0	12	10	9	8	6	5	17	14	13	12	12	11	23	21	20	19	18	17
	15	7	4	3	2	1	0	9	8	7	6	5	4	12	11	10	9	9	8	16	15	14	13	13	12	22	20	19	19	18	17
	20	7	6	5	4	3	2	9	8	8	7	6	6	12	11	10	10	9	9	15	14	13	13	13	12	20	18	18	17	17	17
2200	5	2	0	0	0	0	0	5	1	0	0	0	0	9	5	3	1	0	0	15	11	9	7	6	4	22	18	16	15	14	12
	10	5	2	0	0	0	0	9	6	4	3	1	0	12	10	9	7	6	5	17	14	13	12	11	11	23	21	20	19	18	17
	15	7	4	3	2	1	0	9	8	7	6	5	4	12	11	10	9	9	8	16	15	14	13	13	12	22	20	19	19	18	17
	20	7	5	5	4	3	2	9	8	7	7	6	6	12	11	10	10	9	9	15	14	13	13	13	12	20	18	18	17	17	17
2400	5	1	0	0	0	0	0	5	1	0	0	0	0	9	5	3	1	0	0	15	10	9	7	5	4	22	18	16	15	13	12
	10	5	2	0	0	0	0	9	6	4	3	1	0	12	10	9	7	6	5	17	14	13	12	11	10	23	21	20	19	18	17
	15	7	4	3	2	1	0	9	8	7	6	5	4	12	11	10	9	9	8	16	15	14	13	13	12	22	20	19	18	18	17
	20	7	5	5	4	3	2	9	8	7	7	6	6	12	11	10	10	9	9	15	14	13	13	13	12	19	18	18	17	17	17
2600	5	1	0	0	0	0	0	5	1	0	0	0	0	9	5	3	1	0	0	15	10	9	7	5	4	22	18	16	15	13	12
	10	5	1	0	0	0	0	8	6	4	2	1	0	12	10	8	7	6	5	17	14	13	12	11	10	23	21	19	19	18	17
	15	7	4	3	2	0	0	9	8	7	6	5	4	12	11	10	9	9	8	16	15	14	13	13	12	21	20	19	18	18	17
	20	7	5	5	4	3	2	9	8	7	7	6	6	12	11	10	10	9	9	15	14	13	13	12	12	19	18	18	17	17	17

注:1　保护层导热系数常温下满足 $\lambda \leqslant 0.116$W(m・℃)；

2　如果保护层厚度小于设计、施工或成品要求的最小厚度,按后者取值。

表 C.0.8-3 耐火等级为 2.5h 时非膨胀型防火涂料厚度 d (mm)(夹芯层混凝土厚度 200mm)

外径 (mm)	外管厚度 (mm)	荷载比 0.4						荷载比 0.5						荷载比 0.6						荷载比 0.7						荷载比 0.8					
		配钢率						配钢率						配钢率						配钢率						配钢率					
		0.00	0.02	0.03	0.04	0.05	0.06	0.00	0.02	0.03	0.04	0.05	0.06	0.00	0.02	0.03	0.04	0.05	0.06	0.00	0.02	0.03	0.04	0.05	0.06	0.00	0.02	0.03	0.04	0.05	0.06
600	5	2	0	0	0	0	0	4	2	1	0	0	0	8	5	4	3	2	1	12	9	8	7	6	5	19	16	14	13	12	11
	10	4	2	1	0	0	0	7	5	4	3	2	2	10	8	8	7	6	5	14	12	11	11	10	9	19	17	17	16	15	15
	15	6	4	3	2	2	1	8	6	6	5	5	4	10	9	9	8	8	7	13	12	12	11	11	10	18	17	16	16	15	15
	20	6	5	4	4	3	3	8	7	6	6	6	5	10	9	9	8	8	8	12	12	11	11	11	10	16	15	15	15	14	14
800	5	1	0	0	0	0	0	3	0	0	0	0	0	7	3	2	1	0	0	11	8	7	5	4	3	18	14	13	12	11	10
	10	4	1	0	0	0	0	6	4	3	2	1	0	10	8	7	6	5	4	13	11	11	10	9	8	19	17	16	15	14	14
	15	5	3	2	1	0	0	7	6	5	4	4	3	10	9	8	7	7	6	13	12	11	11	10	10	17	16	15	15	14	14
	20	5	4	3	3	2	1	7	6	6	5	5	4	9	9	8	8	7	7	12	11	11	10	10	10	16	15	14	14	14	13
1000	5	0	0	0	0	0	0	3	0	0	0	0	0	6	3	1	0	0	0	11	7	6	4	3	2	17	14	12	11	10	9
	10	3	0	0	0	0	0	6	3	2	1	0	0	9	7	6	5	4	3	13	11	10	9	8	8	18	16	15	14	14	13
	15	5	3	1	0	0	0	7	5	5	4	3	2	10	8	8	7	6	6	13	11	11	10	10	9	17	16	15	15	14	14
	20	5	4	3	2	1	1	7	6	5	5	4	4	9	8	8	7	7	7	12	11	11	10	10	9	16	15	14	14	13	13
1200	5	0	0	0	0	0	0	2	0	0	0	0	0	6	2	1	0	0	0	10	7	5	4	3	1	17	13	12	10	9	8
	10	3	0	0	0	0	0	6	3	2	1	0	0	9	7	6	5	3	2	13	11	10	9	8	7	18	16	15	14	13	13

	15	4	2	1	0	0	0	7	5	4	3	3	2	9	8	7	7	6	5	13	11	11	10	9	9	17	16	15	14	14	13
	20	5	3	3	2	1	0	7	6	5	5	4	4	9	8	8	7	7	6	12	11	10	10	10	9	15	15	14	14	13	13
1400	5	0	0	0	0	0	0	2	0	0	0	0	0	5	2	1	0	0	0	10	6	5	3	2	1	16	13	11	10	9	8
	10	2	0	0	0	0	0	6	3	1	0	0	0	9	6	5	4	3	2	13	10	9	9	8	7	18	16	15	14	13	12
	15	4	2	1	0	0	0	7	5	4	3	2	1	9	8	7	6	6	5	12	11	10	10	9	9	17	15	15	14	14	13
	20	5	3	2	2	1	0	7	6	5	5	4	3	9	8	8	7	7	6	12	11	10	10	9	9	15	14	14	14	13	13
1600	5	0	0	0	0	0	0	2	0	0	0	0	0	5	2	0	0	0	0	10	6	5	3	2	1	16	13	11	10	8	7
	10	2	0	0	0	0	0	5	2	1	0	0	0	9	6	5	4	3	2	12	10	9	8	7	7	18	15	14	14	13	12
	15	4	2	0	0	0	0	7	5	4	3	2	1	9	8	7	6	6	5	12	11	10	10	9	9	17	15	15	14	13	13
	20	5	3	2	1	0	0	7	6	5	4	4	3	9	8	7	7	6	6	12	11	10	10	9	9	15	14	14	13	13	13
1800	5	0	0	0	0	0	0	2	0	0	0	0	0	5	1	0	0	0	0	10	6	4	3	2	1	16	12	11	10	8	7
	10	2	0	0	0	0	0	5	2	1	0	0	0	8	6	5	4	3	1	12	10	9	8	7	6	18	15	14	13	13	12
	15	4	1	0	0	0	0	7	5	4	3	2	1	9	8	7	6	5	5	12	11	10	10	9	8	17	15	15	14	13	13
	20	5	3	2	1	0	0	7	5	5	4	4	3	9	8	7	7	6	6	12	11	10	10	9	9	15	14	14	13	13	13
2000	5	0	0	0	0	0	0	1	0	0	0	0	0	5	1	0	0	0	0	10	6	4	3	1	0	16	12	11	9	8	7
	10	2	0	0	0	0	0	5	2	1	0	0	0	8	6	5	4	2	1	12	10	9	8	7	6	17	15	14	13	13	12
	15	4	1	0	0	0	0	6	5	4	3	2	0	9	7	7	6	5	5	12	11	10	9	9	8	17	15	14	14	13	13
	20	5	3	2	1	0	0	7	5	5	4	4	3	9	8	7	7	6	6	12	10	10	10	9	9	15	14	14	13	13	13

续表 C. 0. 8-3

外径(mm)	外管厚度(mm)	荷载比0.4						荷载比0.5						荷载比0.6						荷载比0.7						荷载比0.8					
		配钢率						配钢率						配钢率						配钢率						配钢率					
		0.00	0.02	0.03	0.04	0.05	0.06	0.00	0.02	0.03	0.04	0.05	0.06	0.00	0.02	0.03	0.04	0.05	0.06	0.00	0.02	0.03	0.04	0.05	0.06	0.00	0.02	0.03	0.04	0.05	0.06
2200	5	0	0	0	0	0	0	1	0	0	0	0	0	5	1	0	0	0	0	9	6	4	2	1	0	16	12	11	9	8	7
	10	2	0	0	0	0	0	5	2	1	0	0	0	8	6	5	3	2	1	12	10	9	8	7	6	17	15	14	13	12	12
	15	4	1	0	0	0	0	6	4	4	2	1	0	9	7	7	6	5	5	12	11	10	9	9	8	17	15	14	14	13	13
	20	5	3	2	1	0	0	7	5	5	4	3	3	9	8	7	7	6	6	11	10	10	10	9	9	15	14	14	13	13	12
2400	5	0	0	0	0	0	0	1	0	0	0	0	0	5	1	0	0	0	0	9	6	4	2	1	0	16	12	10	9	8	7
	10	2	0	0	0	0	0	5	2	1	0	0	0	8	6	5	3	2	1	12	10	9	8	7	6	17	15	14	13	12	12
	15	4	1	0	0	0	0	6	4	3	2	1	0	9	7	7	6	5	4	12	11	10	9	9	8	17	15	14	14	13	13
	20	5	3	2	1	0	0	7	5	5	4	3	3	9	8	7	7	6	6	11	10	10	9	9	9	15	14	14	13	13	12
2600	5	0	0	0	0	0	0	1	0	0	0	0	0	5	1	0	0	0	0	9	5	4	2	1	0	16	12	10	9	8	6
	10	2	0	0	0	0	0	5	2	0	0	0	0	8	6	4	3	2	1	12	10	9	8	7	6	17	15	14	13	12	12
	15	4	1	0	0	0	0	6	4	3	2	1	0	9	7	7	6	5	4	12	11	10	9	9	8	17	15	14	14	13	13
	20	4	3	2	1	0	0	7	5	5	4	3	3	9	8	7	7	6	6	11	10	10	9	9	9	15	14	14	13	13	12

注：1　保护层导热系数常温下满足 $\lambda \leqslant 0.116W(m \cdot ℃)$；

2　如果保护层厚度小于设计、施工或成品要求的最小厚度，按后者取值。

表 C.0.8-4 耐火等级为 3h 时非膨胀型防火涂料厚度 *d*（mm）（夹芯层混凝土厚度 200mm）

外径(mm)	外管厚度(mm)	荷载比0.4						荷载比0.5						荷载比0.6						荷载比0.7						荷载比0.8					
		配钢率						配钢率						配钢率						配钢率						配钢率					
		0.00	0.02	0.03	0.04	0.05	0.06	0.00	0.02	0.03	0.04	0.05	0.06	0.00	0.02	0.03	0.04	0.05	0.06	0.00	0.02	0.03	0.04	0.05	0.06	0.00	0.02	0.03	0.04	0.05	0.06
600	5	2	0	0	0	0	0	6	2	1	0	0	0	10	6	5	3	2	2	15	12	10	9	8	6	23	19	18	16	15	14
	10	6	3	2	1	0	0	9	7	5	4	3	2	13	10	9	9	8	7	17	15	14	13	12	12	24	21	20	19	19	18
	15	7	5	4	3	3	2	10	8	7	7	6	5	13	11	11	10	10	9	16	15	14	14	13	13	22	20	20	19	19	18
	20	7	6	5	5	4	4	10	8	8	8	7	7	12	11	11	10	10	9	15	14	14	13	13	13	20	19	18	18	18	17
800	5	1	0	0	0	0	0	4	1	0	0	0	0	9	4	3	2	1	0	14	10	8	7	5	4	22	18	16	15	13	12
	10	5	1	0	0	0	0	8	5	4	3	1	1	12	9	8	7	6	5	16	14	13	12	11	10	23	20	19	18	17	17
	15	6	4	3	2	1	0	9	7	7	6	5	4	12	11	10	9	9	8	16	14	14	13	12	12	21	20	19	18	18	17
	20	7	5	5	4	3	2	9	8	7	7	6	6	12	11	10	10	9	9	15	14	13	13	12	12	19	18	18	17	17	16
1000	5	1	0	0	0	0	0	3	0	0	0	0	0	8	4	2	1	0	0	13	9	7	6	4	3	21	17	15	14	12	11
	10	4	1	0	0	0	0	8	5	3	2	1	0	11	9	8	6	5	4	16	13	12	11	10	10	22	20	19	18	17	16
	15	6	3	2	1	0	0	9	7	6	5	4	3	12	10	9	9	8	7	16	14	13	13	12	11	21	19	19	18	17	17
	20	6	5	4	3	2	1	9	8	7	6	6	5	11	10	10	9	9	8	15	13	13	13	12	12	19	18	17	17	17	16
1200	5	0	0	0	0	0	0	3	0	0	0	0	0	7	3	1	0	0	0	13	9	7	5	3	2	20	16	14	13	11	10
	10	4	0	0	0	0	0	7	4	2	1	0	0	11	8	7	6	5	3	16	13	12	11	10	9	22	19	18	17	16	15

续表 C. 0. 8-4

外径(mm)	外管厚度(mm)	荷载比0.4						荷载比0.5						荷载比0.6						荷载比0.7						荷载比0.8					
		配钢率						配钢率						配钢率						配钢率						配钢率					
		0.00	0.02	0.03	0.04	0.05	0.06	0.00	0.02	0.03	0.04	0.05	0.06	0.00	0.02	0.03	0.04	0.05	0.06	0.00	0.02	0.03	0.04	0.05	0.06	0.00	0.02	0.03	0.04	0.05	0.06
1200	15	6	3	2	0	0	0	9	7	6	4	3	2	12	10	9	8	8	7	15	14	13	12	12	11	21	19	18	18	17	16
	20	6	5	4	3	2	1	9	7	7	6	5	5	11	10	10	9	8	8	14	13	13	12	12	11	19	18	17	17	16	16
1400	5	0	0	0	0	0	0	3	0	0	0	0	0	7	3	1	0	0	0	12	8	6	4	3	2	20	16	14	12	11	10
	10	3	0	0	0	0	0	7	4	2	1	0	0	11	8	7	5	4	3	15	13	12	11	10	9	22	19	18	17	16	15
	15	5	3	1	0	0	0	8	6	5	4	3	2	12	10	9	8	7	7	15	14	13	12	11	11	21	19	18	17	17	16
	20	6	4	3	2	1	0	9	7	6	6	5	4	11	10	9	9	8	8	14	13	13	12	12	11	19	18	17	17	16	16
1600	5	0	0	0	0	0	0	2	0	0	0	0	0	7	2	1	0	0	0	12	8	6	4	3	1	20	15	14	12	11	9
	10	3	0	0	0	0	0	7	3	2	0	0	0	11	8	6	5	4	2	15	13	11	10	9	8	22	19	18	17	16	15
	15	5	2	1	0	0	0	8	6	5	4	3	1	11	10	9	8	7	6	15	13	13	12	11	11	20	19	18	17	17	16
	20	6	4	3	2	1	0	9	7	6	6	5	4	11	10	9	9	8	8	14	13	13	12	12	11	19	18	17	16	16	16
1800	5	0	0	0	0	0	0	2	0	0	0	0	0	6	2	1	0	0	0	12	8	6	4	2	1	20	15	13	12	10	9
	10	3	0	0	0	0	0	7	3	1	0	0	0	11	8	6	5	3	2	15	12	11	10	9	8	21	19	18	17	16	15
	15	5	2	1	0	0	0	8	6	5	4	2	1	11	9	9	8	7	6	15	13	13	12	11	10	20	19	18	17	16	16
	20	6	4	3	2	1	0	8	7	6	6	5	4	11	10	9	9	8	8	14	13	12	12	11	11	19	17	17	16	16	15

2000	5	0	0	0	0	0	0	2	0	0	0	0	0	6	2	0	0	0	0	12	7	5	4	2	1	19	15	13	12	10	9
	10	3	0	0	0	0	0	7	3	1	0	0	0	10	8	6	5	3	2	15	12	11	10	9	8	21	19	17	16	15	15
	15	5	2	1	0	0	0	8	6	5	3	2	1	11	9	8	8	7	6	15	13	12	12	11	10	20	19	18	17	16	16
	20	6	4	3	2	0	0	8	7	6	5	5	4	11	10	9	9	8	7	14	13	12	12	11	11	19	17	17	16	16	15
2200	5	0	0	0	0	0	0	2	0	0	0	0	0	6	2	0	0	0	0	12	7	5	3	2	1	19	15	13	11	10	8
	10	3	0	0	0	0	0	6	3	1	0	0	0	10	7	6	4	3	2	15	12	11	10	9	8	21	19	17	16	15	14
	15	5	2	0	0	0	0	8	6	5	3	2	1	11	9	8	8	7	6	15	13	12	12	11	10	20	18	18	17	16	16
	20	6	4	3	1	0	0	8	7	6	5	5	4	11	10	9	8	8	7	14	13	12	12	11	11	19	17	17	16	16	15
2400	5	0	0	0	0	0	0	2	0	0	0	0	0	6	2	0	0	0	0	12	7	5	3	2	1	19	15	13	11	10	8
	10	3	0	0	0	0	0	6	3	1	0	0	0	10	7	6	4	3	1	15	12	11	10	9	8	21	18	17	16	15	14
	15	5	2	0	0	0	0	8	6	4	3	2	1	11	9	8	7	7	6	15	13	12	12	11	10	20	18	18	17	16	16
	20	6	4	3	1	0	0	8	7	6	5	4	4	11	10	9	8	8	7	14	13	12	12	11	11	19	17	17	16	16	15
2600	5	0	0	0	0	0	0	2	0	0	0	0	0	6	1	0	0	0	0	11	7	5	3	2	0	19	15	13	11	10	8
	10	2	0	0	0	0	0	6	3	1	0	0	0	10	7	6	4	3	1	15	12	11	10	9	8	21	18	17	16	15	14
	15	5	2	0	0	0	0	8	6	4	3	2	0	11	9	8	7	7	6	15	13	12	12	11	10	20	18	18	17	16	15
	20	6	4	2	1	0	0	8	7	6	5	4	3	11	10	9	8	8	7	14	13	12	12	11	11	19	17	17	16	16	15

注:1　保护层导热系数常温下满足 $\lambda \leqslant 0.116$W(m·℃);

2　如果保护层厚度小于设计、施工或成品要求的最小厚度,按后者取值。

C. 0. 9 当保护层为水泥砂浆时，内配单层圆钢管的空心圆形钢管混凝土构件保护层厚度可按表 C. 0. 9-1～表 C. 0. 9-4 取值。

表 C. 0. 9-1 耐火等级为 2. 5h 时水泥砂浆保护层厚度 *d*（mm）（夹芯层混凝土厚度 150mm）

外径(mm)	外管厚度(mm)	荷载比0.4						荷载比0.5						荷载比0.6						荷载比0.7						荷载比0.8					
		配钢率						配钢率						配钢率						配钢率						配钢率					
		0.00	0.02	0.03	0.04	0.05	0.06	0.00	0.02	0.03	0.04	0.05	0.06	0.00	0.02	0.03	0.04	0.05	0.06	0.00	0.02	0.03	0.04	0.05	0.06	0.00	0.02	0.03	0.04	0.05	0.06
600	5	12	2	0	0	0	0	25	12	7	4	1	0	40	27	22	17	13	9	59	47	41	37	32	29	86	73	68	63	59	55
	10	23	14	10	6	3	0	34	26	23	19	16	13	47	40	36	33	31	28	62	55	52	49	47	44	85	78	75	72	69	66
	15	26	20	18	15	12	9	35	30	28	26	24	22	45	41	39	37	35	33	58	54	52	50	48	47	77	73	71	69	67	65
	20	26	22	20	18	17	15	33	30	29	27	26	25	42	39	38	37	35	34	53	50	49	48	47	45	69	66	65	63	62	61
800	5	9	0	0	0	0	0	21	8	3	0	0	0	37	23	18	12	8	4	55	43	37	32	28	23	83	69	64	59	54	50
	10	21	11	6	2	0	0	32	24	20	16	12	8	45	37	34	31	27	24	60	53	50	47	44	41	83	75	72	69	66	63
	15	24	18	15	12	8	5	34	29	26	24	21	19	44	39	37	35	33	31	57	53	50	48	47	45	76	71	69	67	65	63
	20	25	21	19	16	14	12	33	29	27	26	24	23	41	38	37	35	34	33	53	49	48	47	45	44	68	65	64	62	61	60
1000	5	7	0	0	0	0	0	19	6	2	0	0	0	35	21	15	9	5	1	54	41	35	30	25	20	81	67	62	56	52	47
	10	19	9	4	0	0	0	31	22	18	14	9	5	44	36	32	29	25	22	59	52	48	45	42	40	82	74	71	67	64	62
	15	23	17	13	10	6	2	33	27	25	22	20	17	44	39	36	34	32	30	57	52	49	47	45	44	76	70	68	66	64	62
	20	24	20	17	15	13	10	32	28	27	25	23	22	41	38	36	34	33	32	52	49	47	46	44	43	68	64	63	61	60	59

1200	5	6	0	0	0	0	0	18	5	0	0	0	0	34	19	13	8	3	0	53	39	33	28	23	18	80	66	60	55	50	46
	10	19	7	3	0	0	0	30	21	17	12	7	3	43	35	31	28	24	21	59	51	47	44	41	38	81	73	70	66	63	61
	15	23	16	12	8	5	1	33	27	24	21	19	16	43	38	36	33	31	29	56	51	49	47	45	43	75	70	67	65	63	61
	20	24	19	17	14	12	9	32	28	26	24	23	21	41	37	36	34	32	31	52	48	47	45	44	43	68	64	62	61	59	58
1400	5	5	0	0	0	0	0	17	4	0	0	0	0	33	18	12	6	2	0	52	38	32	27	21	16	79	65	59	54	49	44
	10	18	6	2	0	0	0	30	20	16	11	6	2	43	34	30	27	23	20	58	50	47	44	40	38	81	73	69	66	63	60
	15	23	15	11	7	3	0	32	26	24	21	18	15	43	38	35	33	31	28	56	51	48	46	44	42	75	69	67	65	63	61
	20	23	19	16	14	11	8	32	28	26	24	22	20	41	37	35	34	32	31	52	48	46	45	43	42	68	64	62	61	59	58
1600	5	5	0	0	0	0	0	17	3	0	0	0	0	32	17	11	5	1	0	51	37	31	26	20	15	78	64	58	53	48	43
	10	17	6	1	0	0	0	29	20	15	10	5	1	42	34	30	26	22	19	58	50	46	43	40	37	81	72	68	65	62	59
	15	22	15	11	7	3	0	32	26	23	20	17	14	43	37	35	32	30	28	56	50	48	46	44	42	75	69	67	64	62	60
	20	23	18	16	13	11	7	31	27	25	24	22	20	40	37	35	33	32	30	51	48	46	45	43	42	67	64	62	60	59	57
1800	5	5	0	0	0	0	0	16	3	0	0	0	0	32	17	10	5	1	0	51	37	31	25	19	14	78	63	57	52	47	43
	10	17	5	0	0	0	0	29	19	14	9	5	0	42	33	29	26	22	18	58	50	46	43	39	36	80	72	68	65	62	59
	15	22	14	10	6	2	0	32	26	23	20	17	14	42	37	34	32	30	27	56	50	48	46	44	42	74	69	66	64	62	60
	20	23	18	16	13	10	7	31	27	25	23	21	19	40	37	35	33	32	30	51	48	46	44	43	42	67	63	62	60	59	57
2000	5	4	0	0	0	0	0	16	2	0	0	0	0	31	16	10	4	0	0	50	36	30	24	19	13	77	63	57	51	47	42
	10	17	5	0	0	0	0	29	19	14	9	4	0	42	33	29	25	21	18	58	49	46	42	39	36	80	71	68	64	61	58
	15	22	14	10	6	1	0	32	25	22	19	16	13	42	37	34	32	29	27	55	50	48	45	43	41	74	69	66	64	62	60
	20	23	18	15	13	10	6	31	27	25	23	21	19	40	36	35	33	31	30	51	48	46	44	43	41	67	63	62	60	58	57

续表 C. 0. 9-1

外径(mm)	外管厚度(mm)	荷载比0.4						荷载比0.5						荷载比0.6						荷载比0.7						荷载比0.8					
		配钢率						配钢率						配钢率						配钢率						配钢率					
		0.00	0.02	0.03	0.04	0.05	0.06	0.00	0.02	0.03	0.04	0.05	0.06	0.00	0.02	0.03	0.04	0.05	0.06	0.00	0.02	0.03	0.04	0.05	0.06	0.00	0.02	0.03	0.04	0.05	0.06
2200	5	4	0	0	0	0	0	16	2	0	0	0	0	31	16	9	4	0	0	50	36	30	24	18	13	77	62	56	51	46	41
	10	17	4	0	0	0	0	29	19	13	8	3	0	42	33	29	25	21	17	57	49	45	42	39	36	80	71	67	64	61	58
	15	22	14	10	5	1	0	32	25	22	19	16	13	42	37	34	32	29	27	55	50	47	45	43	41	74	68	66	64	62	60
	20	23	18	15	12	9	6	31	27	25	23	21	19	40	36	34	33	31	30	51	47	46	44	43	41	67	63	61	60	58	57
2400	5	4	0	0	0	0	0	15	2	0	0	0	0	31	15	9	3	0	0	50	35	29	23	17	12	77	62	56	51	46	41
	10	16	4	0	0	0	0	29	18	13	8	3	0	42	33	29	25	21	17	57	49	45	42	38	35	80	71	67	64	61	58
	15	22	14	9	5	0	0	31	25	22	19	16	12	42	36	34	31	29	27	55	50	47	45	43	41	74	68	66	63	61	59
	20	23	18	15	12	9	6	31	27	25	23	21	19	40	36	34	33	31	29	51	47	46	44	43	41	67	63	61	60	58	57
2600	5	4	0	0	0	0	0	15	1	0	0	0	0	31	15	8	3	0	0	50	35	29	23	17	11	77	62	56	50	45	41
	10	16	4	0	0	0	0	28	18	13	7	3	0	41	32	28	24	20	16	57	49	45	41	38	35	80	71	67	64	60	57
	15	21	13	9	4	0	0	31	25	22	19	16	12	42	36	34	31	29	27	55	50	47	45	43	41	74	68	66	63	61	59
	20	23	18	15	12	9	5	31	27	25	23	21	19	40	36	34	33	31	29	51	47	46	44	42	41	67	63	61	60	58	57

注：如果保护层厚度小于设计、施工或成品要求的最小厚度，按后者取值。

表 C.0.9-2 耐火等级为 2.5h 时水泥砂浆保护层厚度 d (mm)（夹芯层混凝土厚度 200mm）

外径 (mm)	外管厚度 (mm)	荷载比 0.4 配钢率 0.00	0.02	0.03	0.04	0.05	0.06	荷载比 0.5 配钢率 0.00	0.02	0.03	0.04	0.05	0.06	荷载比 0.6 配钢率 0.00	0.02	0.03	0.04	0.05	0.06	荷载比 0.7 配钢率 0.00	0.02	0.03	0.04	0.05	0.06	荷载比 0.8 配钢率 0.00	0.02	0.03	0.04	0.05	0.06
600	5	7	0	0	0	0	0	18	6	3	0	0	0	34	21	15	11	7	5	52	40	34	30	25	21	80	66	61	56	52	48
	10	19	9	5	2	0	0	30	22	18	14	10	7	43	35	32	29	26	23	59	51	48	45	42	40	81	73	70	67	64	62
	15	23	17	14	10	7	5	33	27	25	22	20	18	43	38	36	34	32	30	56	51	49	47	45	44	75	70	68	66	64	62
	20	24	20	18	16	14	11	32	28	27	25	23	22	41	38	36	35	33	32	52	49	47	46	44	43	68	64	63	61	60	59
800	5	3	0	0	0	0	0	13	2	0	0	0	0	29	14	9	4	1	0	48	34	28	23	18	13	74	61	55	50	45	41
	10	15	4	0	0	0	0	27	17	12	8	4	1	40	32	28	24	20	17	56	48	44	41	38	35	78	70	66	63	60	57
	15	21	13	9	5	1	0	31	24	21	18	16	12	41	36	33	31	29	26	54	49	47	44	42	40	73	68	65	63	61	59
	20	22	17	15	12	9	6	31	26	24	22	20	19	40	36	34	32	31	29	51	47	45	44	42	41	66	63	61	59	58	56
1000	5	1	0	0	0	0	0	11	0	0	0	0	0	26	11	5	1	0	0	45	31	24	19	13	9	72	57	51	46	41	37
	10	13	1	0	0	0	0	25	14	9	4	1	0	39	29	25	21	17	13	54	46	42	38	35	32	77	68	64	61	57	55
	15	19	11	6	2	0	0	29	23	19	16	13	9	40	34	32	29	27	24	53	48	45	43	41	39	72	66	64	61	59	57
	20	21	16	13	10	6	3	30	25	23	21	19	17	39	35	33	31	29	28	50	46	44	43	41	39	66	62	60	58	57	55
1200	5	0	0	0	0	0	0	9	0	0	0	0	0	24	9	4	0	0	0	43	29	22	16	11	6	70	55	49	44	39	34
	10	11	0	0	0	0	0	24	13	7	2	0	0	37	28	23	19	15	10	53	44	41	37	33	30	76	67	63	59	56	53

续表 C. 0. 9-2

外径(mm)	外管厚度(mm)	荷载比0.4						荷载比0.5						荷载比0.6						荷载比0.7						荷载比0.8					
		配钢率						配钢率						配钢率						配钢率						配钢率					
		0.00	0.02	0.03	0.04	0.05	0.06	0.00	0.02	0.03	0.04	0.05	0.06	0.00	0.02	0.03	0.04	0.05	0.06	0.00	0.02	0.03	0.04	0.05	0.06	0.00	0.02	0.03	0.04	0.05	0.06
1200	15	18	9	4	0	0	0	29	22	18	14	11	7	40	33	31	28	25	23	53	47	44	42	40	37	71	65	63	60	58	56
	20	21	15	11	8	4	1	29	24	22	20	17	15	38	34	32	30	28	27	49	45	44	42	40	39	65	61	59	57	56	54
1400	5	0	0	0	0	0	0	8	0	0	0	0	0	23	7	2	0	0	0	42	27	20	14	9	5	69	54	48	42	37	32
	10	10	0	0	0	0	0	23	11	6	1	0	0	37	27	22	18	13	8	53	44	40	36	32	29	75	66	62	58	55	52
	15	18	8	3	0	0	0	28	21	17	13	9	5	39	33	30	27	24	22	52	46	44	41	39	37	71	65	62	60	57	55
	20	20	14	10	7	3	0	29	24	21	19	17	14	38	34	32	30	28	26	49	45	43	41	40	38	65	61	59	57	55	54
1600	5	0	0	0	0	0	0	7	0	0	0	0	0	22	6	1	0	0	0	41	26	19	13	8	3	68	53	47	41	36	31
	10	9	0	0	0	0	0	23	10	5	0	0	0	36	26	21	17	12	7	52	43	39	35	31	28	74	65	61	57	54	51
	15	17	7	2	0	0	0	28	20	16	12	8	4	39	32	29	26	24	21	52	46	43	41	38	36	70	64	62	59	57	55
	20	20	13	10	6	2	0	28	23	21	18	16	13	38	33	31	29	27	25	49	45	43	41	39	38	65	60	58	56	55	53
1800	5	0	0	0	0	0	0	6	0	0	0	0	0	21	6	1	0	0	0	41	25	18	12	7	2	67	52	46	40	35	30
	10	9	0	0	0	0	0	22	9	4	0	0	0	36	25	21	16	11	6	52	42	38	34	31	27	74	64	60	57	53	50
	15	17	6	1	0	0	0	27	20	16	12	7	3	38	32	29	26	23	20	52	45	43	40	38	35	70	64	61	59	56	54
	20	20	13	9	5	1	0	28	23	21	18	15	13	37	33	31	29	27	25	49	44	42	41	39	37	64	60	58	56	54	53

2000	5	0	0	0	0	0	0	6	0	0	0	0	0	21	5	0	0	0	0	40	24	17	11	6	2	67	51	45	39	34	29
	10	8	0	0	0	0	0	22	9	3	0	0	0	35	25	20	15	10	5	51	42	38	34	30	27	74	64	60	56	53	50
	15	16	6	1	0	0	0	27	19	15	11	6	2	38	32	28	25	22	20	51	45	42	40	37	35	70	64	61	58	56	54
	20	19	12	8	4	0	0	28	23	20	18	15	12	37	33	31	29	27	25	48	44	42	40	39	37	64	60	58	56	54	53
2200	5	0	0	0	0	0	0	6	0	0	0	0	0	20	5	0	0	0	0	40	24	17	10	5	1	66	51	44	39	33	28
	10	8	0	0	0	0	0	21	8	3	0	0	0	35	25	19	14	9	4	51	42	37	33	30	26	73	64	60	56	52	49
	15	16	5	0	0	0	0	27	19	15	10	6	1	38	31	28	25	22	19	51	45	42	39	37	35	70	63	61	58	56	53
	20	19	12	8	4	0	0	28	23	20	17	15	12	37	33	30	28	26	24	48	44	42	40	38	37	64	60	58	56	54	52
2400	5	0	0	0	0	0	0	5	0	0	0	0	0	20	4	0	0	0	0	39	23	16	10	4	1	66	50	44	38	33	27
	10	8	0	0	0	0	0	21	8	2	0	0	0	35	24	19	14	9	4	51	41	37	33	29	26	73	63	59	56	52	49
	15	16	5	0	0	0	0	27	19	14	10	5	1	38	31	28	25	22	19	51	45	42	39	37	34	70	63	60	58	55	53
	20	19	12	8	3	0	0	28	22	20	17	14	11	37	32	30	28	26	24	48	44	42	40	38	36	64	59	57	56	54	52
2600	5	0	0	0	0	0	0	5	0	0	0	0	0	19	4	0	0	0	0	39	23	16	9	4	0	65	50	43	38	32	27
	10	7	0	0	0	0	0	21	8	2	0	0	0	35	24	19	13	8	3	51	41	37	33	29	25	73	63	59	55	52	49
	15	16	4	0	0	0	0	27	18	14	10	5	0	38	31	28	25	22	18	51	45	42	39	37	34	70	63	60	58	55	53
	20	19	12	7	3	0	0	28	22	20	17	14	11	37	32	30	28	26	24	48	44	42	40	38	36	64	59	57	55	54	52

注：如果保护层厚度小于设计、施工或成品要求的最小厚度，按后者取值。

表 C.0.9-3 耐火等级为 3h 时水泥砂浆保护层厚度 *d*（mm）（夹芯层混凝土厚度 150mm）

外径(mm)	外管厚度(mm)	荷载比0.4						荷载比0.5						荷载比0.6						荷载比0.7						荷载比0.8					
		配钢率						配钢率						配钢率						配钢率						配钢率					
		0.00	0.02	0.03	0.04	0.05	0.06	0.00	0.02	0.03	0.04	0.05	0.06	0.00	0.02	0.03	0.04	0.05	0.06	0.00	0.02	0.03	0.04	0.05	0.06	0.00	0.02	0.03	0.04	0.05	0.06
600	5	16	4	0	0	0	0	31	16	10	6	3	0	49	35	28	22	17	13	72	57	51	46	41	36	105	90	83	78	72	68
	10	29	18	13	9	5	2	42	33	29	25	21	17	57	49	45	42	38	35	76	68	64	61	58	55	104	95	91	87	84	81
	15	32	26	23	19	16	13	44	38	35	33	30	28	56	51	48	46	44	42	72	66	64	62	60	58	94	89	86	84	82	80
	20	32	28	26	24	22	20	42	38	36	34	33	31	52	49	47	46	44	43	66	62	60	59	57	56	85	81	79	78	76	75
800	5	12	1	0	0	0	0	27	11	6	2	0	0	46	30	23	16	11	6	68	53	46	40	35	29	101	85	78	72	67	62
	10	26	14	9	4	0	0	40	30	25	21	16	11	55	46	42	38	34	31	74	65	61	58	54	51	101	92	88	84	81	78
	15	31	23	20	16	12	8	42	36	33	30	27	24	55	49	46	44	41	39	70	65	62	60	58	55	93	87	84	82	80	78
	20	31	26	24	21	19	16	41	37	35	33	31	29	51	47	46	44	42	41	65	61	59	57	56	54	84	80	78	76	75	73
1000	5	10	0	0	0	0	0	25	9	3	0	0	0	43	27	19	13	8	3	66	50	43	37	31	25	99	82	75	69	64	59
	10	25	12	6	2	0	0	39	28	23	18	13	8	54	45	40	36	32	28	73	64	60	56	52	49	100	90	86	82	79	76
	15	30	22	18	13	9	5	41	35	31	28	25	22	54	48	45	42	40	37	70	64	61	58	56	54	92	86	83	81	78	76
	20	31	25	23	20	17	14	40	36	34	31	29	27	51	47	45	43	41	40	64	60	58	57	55	53	83	79	77	75	74	72
1200	5	9	0	0	0	0	0	24	7	2	0	0	0	42	25	17	11	6	2	65	49	42	35	29	23	97	81	74	67	62	56
	10	24	11	5	0	0	0	38	27	21	16	11	6	53	44	39	35	31	26	72	63	59	55	51	48	99	89	85	81	78	74

	15	29	21	16	12	7	3	41	34	30	27	24	21	53	47	44	42	39	36	69	63	60	58	55	53	92	85	82	80	77	75
	20	30	25	22	19	16	13	40	35	33	31	29	26	50	46	44	42	41	39	64	60	58	56	54	53	83	79	77	75	73	71
1400	5	8	0	0	0	0	0	22	6	1	0	0	0	41	24	16	9	4	0	64	47	40	33	27	21	96	79	72	66	60	55
	10	23	9	4	0	0	0	37	26	20	15	9	4	53	43	38	34	29	25	72	62	58	54	50	47	99	89	84	80	77	73
	15	29	20	15	11	6	1	40	33	30	26	23	20	53	47	44	41	38	36	69	62	60	57	55	52	91	85	82	79	77	74
	20	30	24	21	18	15	11	39	35	32	30	28	26	50	46	44	42	40	38	64	59	57	56	54	52	83	78	76	74	73	71
1600	5	8	0	0	0	0	0	22	5	0	0	0	0	40	22	15	8	3	0	63	46	39	32	26	20	96	78	71	65	59	54
	10	23	9	3	0	0	0	37	25	19	14	8	3	52	42	38	33	29	24	71	61	57	53	49	46	98	88	84	80	76	73
	15	28	19	15	10	5	0	40	33	29	26	22	19	53	46	43	40	38	35	68	62	59	57	54	52	91	84	82	79	76	74
	20	30	24	21	18	14	11	39	34	32	30	28	25	50	46	44	42	40	38	63	59	57	55	53	52	82	78	76	74	72	71
1800	5	7	0	0	0	0	0	21	5	0	0	0	0	40	22	14	7	2	0	63	46	38	31	25	19	95	78	70	64	58	53
	10	22	8	2	0	0	0	37	25	19	13	7	2	52	42	37	32	28	23	71	61	57	53	49	45	98	88	83	79	75	72
	15	28	19	14	9	4	0	40	32	29	25	22	18	53	46	43	40	37	35	68	62	59	56	54	51	91	84	81	78	76	74
	20	29	23	20	17	14	10	39	34	32	29	27	25	50	45	43	41	39	38	63	59	57	55	53	52	82	78	76	74	72	70
2000	5	7	0	0	0	0	0	21	4	0	0	0	0	39	21	13	7	2	0	62	45	38	31	24	18	95	77	70	63	57	52
	10	22	7	2	0	0	0	36	24	18	12	6	1	52	41	37	32	27	23	71	61	56	52	48	45	98	87	83	79	75	72
	15	28	19	14	8	3	0	40	32	29	25	21	17	52	46	43	40	37	34	68	62	59	56	54	51	91	84	81	78	76	73
	20	29	23	20	17	13	9	39	34	32	29	27	25	50	45	43	41	39	37	63	59	57	55	53	51	82	78	75	74	72	70

续表 C.0.9-3

外径(mm)	外管厚度(mm)	荷载比0.4 配钢率						荷载比0.5 配钢率						荷载比0.6 配钢率						荷载比0.7 配钢率						荷载比0.8 配钢率					
		0.00	0.02	0.03	0.04	0.05	0.06	0.00	0.02	0.03	0.04	0.05	0.06	0.00	0.02	0.03	0.04	0.05	0.06	0.00	0.02	0.03	0.04	0.05	0.06	0.00	0.02	0.03	0.04	0.05	0.06
2200	5	6	0	0	0	0	0	20	4	0	0	0	0	39	20	12	6	1	0	62	45	37	30	23	17	94	77	69	63	57	51
	10	22	7	1	0	0	0	36	24	18	11	6	1	52	41	36	31	27	22	70	60	56	52	48	44	97	87	82	78	75	71
	15	28	18	13	8	3	0	39	32	28	25	21	17	52	46	42	39	37	34	68	61	59	56	53	51	91	84	81	78	75	73
	20	29	23	20	16	13	9	39	34	31	29	27	24	50	45	43	41	39	37	63	59	57	55	53	51	82	77	75	73	72	70
2400	5	6	0	0	0	0	0	20	3	0	0	0	0	39	20	12	6	1	0	61	44	37	29	22	16	94	76	69	62	56	51
	10	21	6	1	0	0	0	36	24	17	11	5	0	51	41	36	31	26	22	70	60	56	52	48	44	97	87	82	78	74	71
	15	28	18	13	7	2	0	39	32	28	24	21	17	52	45	42	39	36	34	68	61	58	56	53	51	90	84	81	78	75	73
	20	29	23	20	16	12	8	39	34	31	29	26	24	50	45	43	41	39	37	63	58	56	54	53	51	82	77	75	73	71	70
2600	5	6	0	0	0	0	0	20	3	0	0	0	0	38	19	11	5	0	0	61	44	36	29	22	15	94	76	68	62	56	50
	10	21	6	0	0	0	0	36	23	17	10	5	0	51	41	36	31	26	21	70	60	55	51	47	44	97	86	82	78	74	71
	15	27	18	12	7	2	0	39	32	28	24	20	16	52	45	42	39	36	33	68	61	58	55	53	50	90	83	80	78	75	73
	20	29	23	19	16	12	8	39	34	31	29	26	24	50	45	43	41	39	37	63	58	56	54	53	51	82	77	75	73	71	70

注：如果保护层厚度小于设计、施工或成品要求的最小厚度，按后者取值。

表 C.0.9-4 耐火等级为 3h 时水泥砂浆保护层厚度 d（mm）（夹芯层混凝土厚度 200mm）

外径(mm)	外管厚度(mm)	荷载比0.4						荷载比0.5						荷载比0.6						荷载比0.7						荷载比0.8					
		配钢率						配钢率						配钢率						配钢率						配钢率					
		0.00	0.02	0.03	0.04	0.05	0.06	0.00	0.02	0.03	0.04	0.05	0.06	0.00	0.02	0.03	0.04	0.05	0.06	0.00	0.02	0.03	0.04	0.05	0.06	0.00	0.02	0.03	0.04	0.05	0.06
600	5	10	0	0	0	0	0	24	9	5	2	0	0	42	26	20	14	10	7	65	49	43	37	32	27	97	81	75	69	64	59
	10	24	12	7	4	1	0	38	28	23	18	14	10	53	44	40	36	32	29	72	63	59	56	52	49	99	90	86	82	79	75
	15	29	22	18	14	11	7	41	34	31	28	26	23	53	48	45	42	40	38	69	63	61	58	56	54	92	86	83	80	78	76
	20	30	25	23	20	18	15	40	36	34	32	30	28	51	47	45	43	41	40	64	60	58	56	55	53	83	79	77	75	74	72
800	5	5	0	0	0	0	0	18	4	0	0	0	0	36	19	12	7	3	0	59	42	35	29	23	18	91	74	67	61	56	50
	10	20	6	2	0	0	0	34	22	17	11	6	2	50	40	35	30	26	21	69	59	55	51	47	43	96	85	81	77	73	70
	15	26	17	12	8	3	0	38	31	27	24	20	17	51	45	42	39	36	33	67	61	58	55	52	50	89	83	80	77	75	72
	20	28	22	19	16	13	9	38	33	31	28	26	24	49	44	42	40	39	37	62	58	56	54	52	51	81	77	75	73	71	69
1000	5	3	0	0	0	0	0	14	1	0	0	0	0	33	15	8	3	0	0	56	38	31	24	18	12	88	70	63	57	51	46
	10	17	3	0	0	0	0	32	19	13	7	2	0	48	37	32	27	22	17	67	56	52	48	44	40	94	83	78	74	71	67
	15	25	14	9	4	0	0	37	29	25	21	17	13	50	43	40	36	33	31	66	59	56	53	50	48	88	81	78	75	73	70
	20	27	20	17	13	9	5	37	32	29	27	24	21	48	43	41	39	37	35	61	57	55	53	51	49	80	76	73	71	69	68
1200	5	2	0	0	0	0	0	12	0	0	0	0	0	30	12	6	1	0	0	54	36	28	21	15	9	86	68	61	54	48	43
	10	15	1	0	0	0	0	31	17	10	4	0	0	47	35	30	24	19	14	66	55	50	46	42	38	92	81	77	73	69	65

续表 C.0.9-4

外径 (mm)	外管厚度 (mm)	荷载比0.4						荷载比0.5						荷载比0.6						荷载比0.7						荷载比0.8					
		配钢率						配钢率						配钢率						配钢率						配钢率					
		0.00	0.02	0.03	0.04	0.05	0.06	0.00	0.02	0.03	0.04	0.05	0.06	0.00	0.02	0.03	0.04	0.05	0.06	0.00	0.02	0.03	0.04	0.05	0.06	0.00	0.02	0.03	0.04	0.05	0.06
1200	15	24	12	7	2	0	0	36	27	23	19	14	10	49	42	38	35	32	29	65	58	55	52	49	46	87	80	77	74	71	69
	20	26	19	15	11	7	2	37	31	28	25	23	20	48	42	40	38	36	34	61	56	54	52	50	48	80	75	73	70	69	67
1400	5	1	0	0	0	0	0	11	0	0	0	0	0	29	11	4	0	0	0	52	34	26	19	12	7	84	66	59	52	46	40
	10	14	0	0	0	0	0	30	15	8	3	0	0	46	34	28	23	17	12	65	54	49	45	40	36	91	80	76	71	67	64
	15	23	11	5	0	0	0	35	26	22	17	13	8	48	41	37	34	31	27	64	57	54	51	48	45	87	79	76	73	70	68
	20	26	18	14	9	5	1	36	30	27	24	21	18	47	42	39	37	35	33	60	55	53	51	49	47	79	74	72	70	68	66
1600	5	0	0	0	0	0	0	10	0	0	0	0	0	28	9	3	0	0	0	51	33	25	17	11	6	83	65	58	51	44	39
	10	13	0	0	0	0	0	29	14	7	2	0	0	45	33	27	21	16	10	64	53	48	44	39	35	91	80	75	70	66	63
	15	22	10	4	0	0	0	35	26	21	16	11	6	48	40	37	33	30	26	64	57	53	50	47	45	86	79	75	72	70	67
	20	25	17	13	8	3	0	36	30	27	24	21	17	47	41	39	37	34	32	60	55	53	51	49	47	79	74	72	69	67	65
1800	5	0	0	0	0	0	0	9	0	0	0	0	0	27	8	3	0	0	0	50	32	23	16	9	4	82	64	56	50	43	37
	10	12	0	0	0	0	0	28	13	6	1	0	0	44	32	26	20	14	9	64	52	47	43	38	34	90	79	74	70	66	62
	15	22	9	3	0	0	0	34	25	20	15	10	5	48	40	36	33	29	26	63	56	53	50	47	44	86	78	75	72	69	66
	20	25	17	12	7	2	0	35	29	26	23	20	17	47	41	39	36	34	32	60	55	52	50	48	46	79	74	71	69	67	65

2000	5	0	0	0	0	0	0	9	0	0	0	0	0	26	8	2	0	0	0	50	31	22	15	8	4	82	63	56	49	42	36
	10	12	0	0	0	0	0	28	12	5	0	0	0	44	32	26	20	13	8	63	52	47	42	38	33	90	78	74	69	65	61
	15	21	8	2	0	0	0	34	25	20	15	9	4	47	39	36	32	29	25	63	56	52	49	46	44	86	78	75	72	69	66
	20	25	16	12	7	2	0	35	29	26	23	19	16	46	41	38	36	34	31	60	55	52	50	48	46	79	73	71	69	67	65
2200	5	0	0	0	0	0	0	8	0	0	0	0	0	26	7	1	0	0	0	49	30	22	14	8	3	81	63	55	48	41	35
	10	11	0	0	0	0	0	27	12	5	0	0	0	44	31	25	19	13	7	63	51	46	42	37	33	90	78	73	69	65	61
	15	21	8	2	0	0	0	34	24	19	14	9	3	47	39	35	32	28	25	63	55	52	49	46	43	85	78	74	71	68	66
	20	25	16	11	6	1	0	35	29	26	22	19	16	46	41	38	36	33	31	60	54	52	50	48	46	79	73	71	68	66	64
2400	5	0	0	0	0	0	0	8	0	0	0	0	0	25	7	1	0	0	0	49	29	21	13	7	2	81	62	54	47	41	35
	10	11	0	0	0	0	0	27	11	4	0	0	0	43	31	24	18	12	6	63	51	46	41	37	32	89	78	73	68	64	60
	15	21	7	1	0	0	0	34	24	19	14	8	3	47	39	35	31	28	24	63	55	52	49	46	43	85	77	74	71	68	65
	20	24	16	11	5	0	0	35	28	25	22	19	15	46	40	38	35	33	31	59	54	52	50	47	45	78	73	70	68	66	64
2600	5	0	0	0	0	0	0	8	0	0	0	0	0	25	6	1	0	0	0	48	29	20	13	6	2	80	62	54	47	40	34
	10	10	0	0	0	0	0	27	11	4	0	0	0	43	30	24	18	11	5	62	51	46	41	36	32	89	77	72	68	64	60
	15	20	7	1	0	0	0	33	24	19	13	7	2	47	39	35	31	27	24	63	55	52	48	45	43	85	77	74	71	68	65
	20	24	15	10	5	0	0	35	28	25	22	18	15	46	40	38	35	33	30	59	54	52	49	47	45	78	73	70	68	66	64

注：如果保护层厚度小于设计、施工或成品要求的最小厚度，按后者取值。

本规程用词说明

1　为便于在执行本规程条文时区别对待，对要求严格程度不同的用词说明如下：

1）表示很严格，非这样做不可的：
正面词采用“必须”，反面词采用“严禁”；

2）表示严格，在正常情况下均应这样做的：
正面词采用“应”，反面词采用“不应”或“不得”；

3）表示允许稍有选择，在条件许可时首先应这样做的：
正面词采用“宜”，反面词采用“不宜”；

4）表示有选择，在一定条件下可以这样做的，采用“可”。

2　条文中指明应按其他有关标准执行的写法为：“应符合……的规定”或“应按……执行”。

引用标准名录

《混凝土结构设计规范》GB 50010
《钢结构设计规范》GB 50017
《纤维增强复合材料建设工程应用技术规范》GB 50608
《钢管混凝土结构技术规范》GB 50936
《碳素结构钢》GB/T 700
《低合金高强度结构钢》GB/T 1591
《不锈钢冷轧钢板和钢带》GB/T 3280
《耐候结构钢》GB/T 4171
《不锈钢热轧钢板和钢带》GB/T 4237
《结构用不锈钢无缝钢管》GB/T 14975
《轻骨料混凝土技术规程》JGJ 51
《高层民用建筑钢结构技术规程》JGJ 99
《型钢混凝土组合结构技术规程》JGJ 138
《海砂混凝土应用技术规范》JGJ 206
《高强混凝土应用技术规程》JGJ/T 281
《57H 再生骨料应用技术规程》JGJ/T 240

中国工程建设协会标准

特殊钢管混凝土构件设计规程

CECS 408：2015

条文说明

目　　次

1 总　　则

1.0.1 钢管混凝土结构在我国得到广泛应用，并于2014年颁布了国家标准《钢管混凝土结构技术规范》GB 50936，主要针对各种形状的钢管内配普通素混凝土的截面形式。

随着社会的进步和时代的发展，钢管混凝土结构在实际工程中的应用发挥得越来越大的作用，不仅显示出越来越多的的优点，而且不断出现新的结构形式。随着超高层建筑和风电塔越来越高，钢管混凝土截面巨大，一方面钢管壁厚给焊接带来困难，另一方面管内混凝土过多、徐变大、套箍效应差，因此大量采用钢管内配加劲件的结构形式。近年来国家分别颁布相关政策，鼓励对节能环保绿色材料的使用，引导高性能钢材、高性能混凝土使用和废弃物资源化利用。这些都是现有国家和其他标准没有的内容。

本规程中的很多参数，如材料和连接的强度等，都引用了国家现行有关标准的规定，主要参考的是现行国家标准《钢管混凝土结构技术规范》GB 50936的规定，为响应国家政策，适应工程实际的需要，编制了本规程。

3 材　　料

3.1 钢　　管

3.1.2 高强钢管混凝土结构由于采用高强度钢材可以有效地减小构件的尺寸和结构的重量，从而减少因焊接和防腐、防火涂层而产生的工作量和费用，降低了成本。

3.1.3 不锈钢是指在腐蚀介质如大气、水、酸、碱和盐等溶液中具有一定化学稳定性的钢材的总称。它是在碳素钢中添加一定量的铬元素冶炼制成。不锈钢中所含有的铬元素的比例直接决定了它的耐腐蚀性能，铬元素不小于12%是国内对不锈钢耐锈耐腐蚀性的基本要求。不锈钢按其金相组织的不同划分，可分为五类：铁素体型不锈钢、奥氏体型不锈钢、双向体型不锈钢、马氏体型不锈钢和沉淀硬化型不锈钢五类。其中奥氏体不锈钢在土木工程中应用最多，其原因是塑性极好、有足够的强度同时硬度也不很高，并且耐腐蚀性好、维护方便和造型美观。目前，我国关于不锈钢的设计规范都只是对材料的化学成分和构件的加工制作进行了规定。

3.1.4 耐候钢是指通过添加少量的合金元素使其在金属基体表面上形成保护层，以提高耐大气腐蚀性能的钢。耐候钢可制作热轧和冷轧的钢板、钢带和型钢。

3.1.5 本条参照现行国家标准《钢管混凝土结构技术规范》GB 50936的相关规定。

3.2 混　凝　土

3.2.1 本条参照现行国家标准《钢管混凝土结构技术规范》GB 50936的相关规定。

3.2.2 高强混凝土的原材料主要是水泥、粗细骨料、水、各种化学外加剂和矿物掺合料。这些原材料的各项技术性能及要求都应满足国家现行有关标准的要求。

3.2.3 轻骨料混凝土的原材料主要是水泥、轻粗、细骨料、普通砂、水以及各种化学外加剂和掺合料。这些原材料的各项技术性能及要求都应满足国家现行有关标准的要求。

3.2.4 本条参照现行国家标准《钢管混凝土结构技术规范》GB 50936 的相关规定。

3.2.5 珊瑚混凝土以其原材料易获得，早期强度高，施工方便等优势成为海岛工程建设首选。由于珊瑚表面孔隙多且颗粒不规则，所以珊瑚混凝土中的粗、细骨料既不同于普通混凝土中的石、砂骨料，也不同于轻骨料混凝土中的陶粒、浮石等骨料，但珊瑚混凝土与普通混凝土和轻骨料混凝土一样，强度随着水泥用量的增加而增加；随着拌和用水量的减少而降低。珊瑚混凝土的原材料主要是水泥、珊瑚粗细骨料、海水、各种化学外加剂和掺合料。这些原材料的各项技术性能及要求都应满足国家现行有关标准的要求。

3.2.6 本条参照现行国家标准《钢管混凝土结构技术规范》GB 50936 的相关规定。其他再生资源骨料混凝土指玻璃、橡胶、工业灰渣等废弃物骨料混凝土。

3.3 钢筋和型钢

3.3.1、3.3.2 配筋钢管混凝土中所用的钢筋，其取值依据现行国家标准《钢筋混凝土用钢 第2部分：热轧带肋钢筋》GB 1499.2 规定的钢筋抗震性能指标提出，凡钢筋产品标准中带 E 编号的钢筋，均属于符合抗震性能指标。本条的规定，是正规建筑用钢生产厂家的热轧钢筋均能达到的性能指标。从发展趋势考虑，不再推荐箍筋采用 HPB235 级钢筋。

3.3.3 型钢混凝土构件的型钢材料宜采用牌号 Q235-B、Q235-C、Q235-D 的碳素结构钢，以及牌号 Q345-B、Q345-C、Q345-D、

Q345-E 的低合金高强度结构钢，其质量标准应分别符合现行国家标准《碳素结构钢》GB 700 和《低合金高强度结构钢》GB/T 1591 的规定。

型钢可采用焊接型钢和轧制型钢。型钢钢材应根据结构特点选择其牌号和材质，并应保证抗拉强度、伸长率、屈服点、冷弯试验、冲击韧性合格和硫、磷、碳含量符合使用要求。型钢焊缝和坡口尺寸应符合现行国家标准《钢结构焊接规范》GB 50661 的有关规定。当焊接型钢的钢板厚度大于或等于 50mm，并承受沿板厚方向的拉力作用时，应按现行国家标准《厚度方向性能钢板》GB/T 5313 的规定，其附加板厚方向的断面收缩率不得小于该标准 Z15 级规定的允许值。考虑地震作用的结构用钢，其强屈比不应小于 1.2，且应有明显的屈服台阶和良好的可焊性。

3.4 其他材料

3.4.1 纤维增强塑料(FRP)根据纤维丝的不同主要分为碳纤维(CFRP)、玻璃纤维(GFRP)、芳纶纤维(AFRP)、玄武岩纤维(BFRP)，综合考虑材料的经济性和力学性能，本规程所指的 FRP 主要针对玻璃纤维增强塑料 GFRP。FRP 轻质高强、耐腐蚀性好、可设计性强、介电性能好，成为建筑行业的新兴材料。

FRP 管的加工方式主要有纤维缠绕法及拉挤成型法，本规程主要介绍纤维缠绕法生产的 FRP 管材。湿缠绕法生产 FRP 缠绕钢管的工艺为：将钢管作为缠绕 FRP 的芯膜，经除尘处理后直接在钢管上缠绕浸胶的纤维丝，固化成型后不脱模直接切割而成。

FRP 管的受拉性能主要有两类测试方法：一是平板拉伸试验，该方法需另行加工同体积率的 FRP 标准拉伸试件，测量方法可按现行国家标准《纤维增强塑料拉伸性能试验方法》GB/T 1447 执行；二是分离盘试验，该方法直接在已加工成型的 FRP 管上截取一圆环作为拉伸试件，其测量方法可按现行国家标准《纤维缠绕增强塑料环形试样力学性能试验方法》GB/T 1458 执行。

FRP钢管混凝土柱是指在预置的外缠FRP的钢管内填充混凝土的结构形式，其优越性主要体现在以下几个方面：① FRP具有优异的抗拉性能，FRP和钢管共同为管内混凝土提供了约束作用；② FRP耐腐蚀性好，将FRP材料缠于钢材外壁提高了构件的耐腐蚀性；③ FRP是高强度脆性材料，钢管与FRP的共同使用保证了构件具有高强度的同时也具备一定的延性。

FRP钢管混凝土组合柱承受轴压荷载时，FRP的套箍作用在内部钢管混凝土产生较大的横向膨胀变形时开始发挥，此时组合柱所受荷载接近钢管混凝土柱的极限荷载，钢材已进入流塑性阶段且核心混凝土发生损伤，组合柱的侧向刚度大大降低。故在地震区使用FRP钢管混凝土组合柱时，为保证其抗弯刚度，需控制使用荷载处于钢管混凝土极限承载力内。

3.4.2 根据现行国家标准《钢结构设计规范》GB 50017和《钢结构工程施工质量验收规范》GB 50205确定。10.9级螺栓热镀锌后，使用中常出现裂缝，故不宜采用。

4 基本规定

4.0.1～4.0.8 条文参照了现行国家标准《钢管混凝土结构技术规范》GB 50936 的相关规定。

5 截面强度设计值

5.1 内填素混凝土的特殊钢管混凝土构件截面抗压强度设计值

5.1.1 本条参照现行国家标准《钢管混凝土结构技术规范》GB 50936 的相关规定，采用“钢管混凝土统一理论”中的统一设计原则的思想。

考虑截面形状对套箍效应的影响，引入了影响系数 k_1，对应的公式见规程中公式(5.1.1-4)。对于实心圆形截面，k_1 取 1.0；对于实心方形截面，取 $k_1=0.742$。

对于空心截面，由于空心构件中的混凝土较少，钢管对混凝土的套箍作用效应就较小，经分析并经实验验证，对圆形取 0.6，对方形取 0.3。计算实心构件时，套箍系数中的含钢率用实心构件的，计算空心构件时，用空心的。

当采用再生骨料配置混凝土时，应采取措施减少混凝土的收缩量。

国内外学者对氯离子对钢筋混凝土的腐蚀作用已经做了很多研究，但应用海砂时的腐蚀情况依然严峻，而利用淡水处理等方法为海砂脱盐又非常浪费资源。随着河砂资源的日益匮乏，应用海砂已经成为一种趋势，可保护环境，节约资源。实心钢管混凝土构件全封闭时，氯离子对钢筋混凝土的腐蚀很小，可不经处理或不需到达重量比的要求直接应用海砂混凝土。

试验表明，对于钢管内配各种混凝土短柱在轴压下的破坏过程几乎和钢管普通混凝土的破坏过程一样，钢管对各种混凝土的套箍作用的差别不大。因此，对于钢管内配各种素混凝土，不管什么种类的混凝土，只要混凝土强度一致，其构件截面抗压强度设计值可采用本规程公式(5.1.1-1)的公式统一计算。

5.1.2 FRP约束钢管混凝土构件截面抗压强度设计值应符合下列规定：

本规程所采用的FRP钢管混凝土柱轴压承载力设计公式，沿用“钢管混凝土统一理论”中的统一设计公式形式，通过修正套箍系数的方法考虑FRP和钢管对管内混凝土的共同约束作用。根据轴压试验结果，钢管在接近屈服时FRP的套箍作用开始发挥，直至纤维丝被拉断丧失环向约束效果，可认为组合柱在轴压极限状态下FRP和钢管可发挥全部套箍作用。FRP钢管混凝土构件的组合套箍系数可表示为 $\theta_{\mathrm{f}}=\alpha_{\mathrm{sc}}\dfrac{f}{f_{\mathrm{c}}}+\alpha_{\mathrm{fc}}\dfrac{f_{\mathrm{f}}}{f_{\mathrm{c}}}$，式中 $\alpha_{\mathrm{fc}}=\dfrac{A_{\mathrm{f}}}{A_{\mathrm{c}}}$，公式化简后按规程中公式(5.1.2-2)计算。

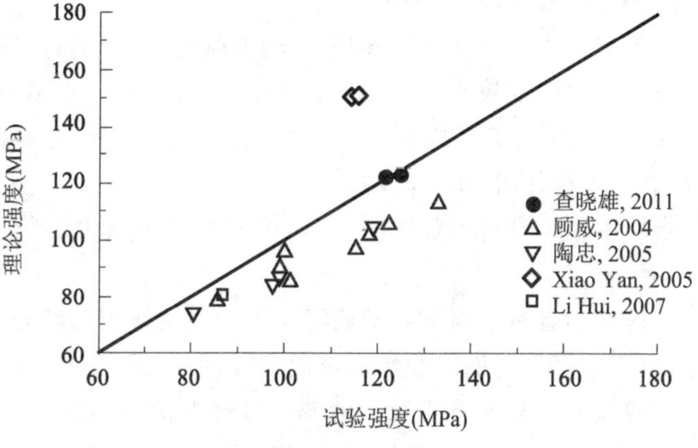

图1 FRP钢管混凝土柱轴压强度理论公式与试验结果的对比

FRP钢管混凝土柱轴压强度计算公式与国内外相关试验结果(共29根FRP钢管混凝土柱)的对比如图1所示，二者比值均值为0.974，方差为0.020，通过与试验数据的对比说明了公式的合理性。

5.2 内配加劲件的钢管混凝土构件截面强度设计值

5.2.1 内配约束型加劲件的钢管混凝土构件中，截面形式为圆形和方形。约束型加劲件可以是螺旋箍筋，也可以是钢管。

如图 2 所示，对于 n 层配箍的钢管混凝土构件，各层箍筋对混凝土的作用是叠加的，由外而内，混凝土所受箍筋的套箍效应逐渐增大。设第 i 层箍筋的套箍系数为 θ_i，第 i 层箍筋的等效配筋面积为 A_{ssoi}，配箍率为 ρ_{vi}，f_{yv} 为箍筋抗拉强度，则有：

$$\theta_i = \rho_v \cdot \frac{f_{yv}}{f_c} = \frac{A_{ssoi}}{A_c} \cdot \frac{f_{yv}}{f_c} \tag{1}$$

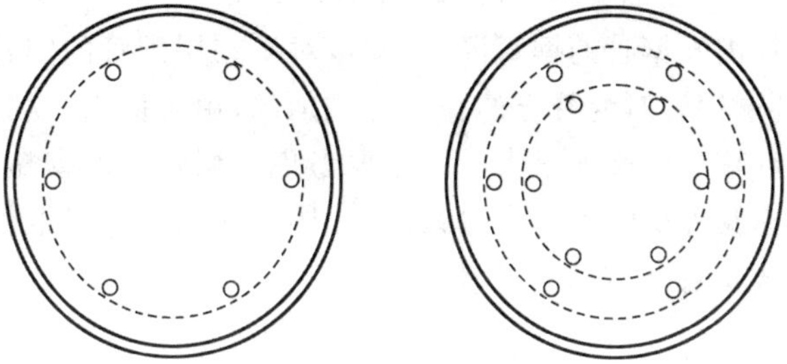

(a) 单层配筋截面形式　　(b) 双层配筋截面形式

图 2　配筋钢管混凝土截面示意

在多层内配箍筋钢管混凝土中，各层箍筋对混凝土的作用是叠加的，因此其抗压强度递增。

对于考虑 n 层内配箍筋的钢管混凝土构件，箍筋提供的等效套箍系数 θ^* 按下式进行计算：

$$\theta^* = \frac{f_{yv}\sum_{i=1}^{n} A_{ssoi}}{A_c f_c} \tag{2}$$

由此，可得内配螺旋箍筋的实心钢管混凝土构件截面抗压强度设计值按下列公式计算：

$$f_{sc} = (1.212 + B\theta_y^* + C\theta_y^{*2}) f_c \tag{3}$$

$$\theta_{y}^{*}=\frac{k_{1}A_{s}f+k_{1}f_{yv}\sum_{i=1}^{n}A_{ssoi}}{A_{c}f_{c}} \tag{4}$$

$$B=\frac{0.176f}{213}+0.974 \tag{5}$$

$$C=\frac{-0.104\times f_{c}}{14.4}+0.031 \tag{6}$$

式中：θ_y^*——内配螺旋箍筋的钢管混凝土构件的套箍系数；

k_1——截面形状对套箍效应的影响系数；对于圆形外钢管和箍筋产生的套箍效应，k_1 取 1；对于方形外钢管产生的套箍效应，k_1 取 0.742。

计算内配钢管的钢管混凝土时，对于 n 层配管的钢管混凝土构件，各层钢管对混凝土的作用是叠加的，由外而内，混凝土所受钢筋的套箍效应逐渐增大。除了要考虑本层钢管的套箍效应外，还应考虑其外层钢管的套箍效应，如图 3 所示。每层钢管提供的套箍系数 θ_i 按下式进行计算：

$$\theta_{i}=\frac{A_{s,i}}{A_{c}}\cdot\frac{f_{s,i}}{f_{c}} \tag{7}$$

对于考虑 n 层配管的钢管混凝土构件，n 层钢管提供的套箍系数 θ_y^* 按下式进行计算：

$$\theta_{y}^{*}=\frac{k_{1}A_{s}f+k_{1}\sum_{i=1}^{n}A_{s,i}f_{s,i}}{A_{c}f_{c}} \tag{8}$$

式中：f——最外层钢管的抗压强度设计值(MPa)；

f_c——混凝土的抗压强度设计值(MPa)；

$f_{s,i}$——第 i 层钢管的抗压强度设计值(MPa)；

$A_{s,i}$——第 i 层钢管的面积(mm^2)；

A_c——混凝土的截面总面积(mm^2)；

n——配管钢管混凝土构件从外至内钢管总层数。

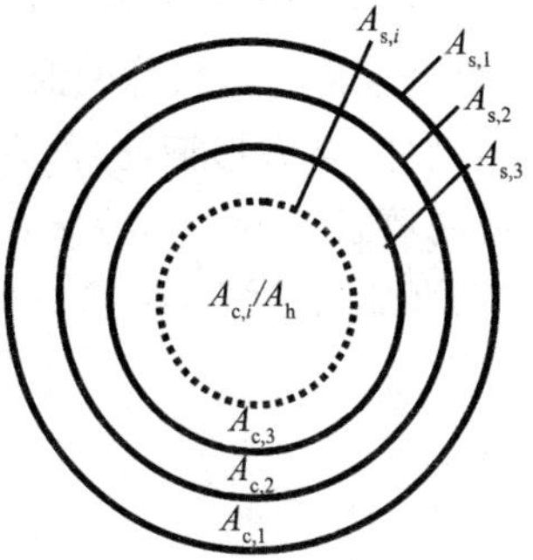

图 3　多层内配钢管的钢管混凝土简图

对内配多层钢管的钢管混凝土构件，多层钢管对混凝土的作用是叠加的，计算公式同内配多层钢管的钢管混凝土构件。

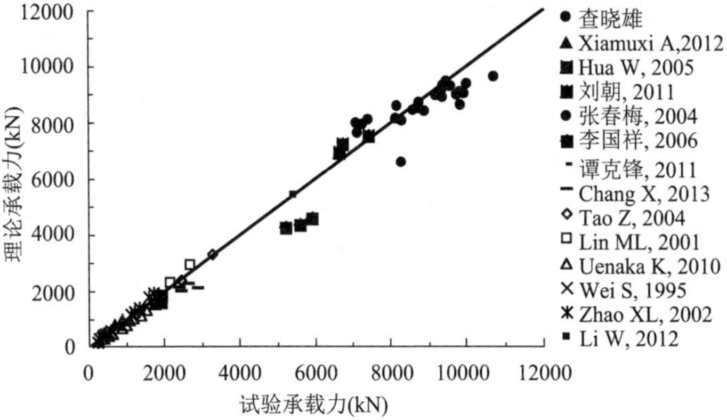

图 4　配筋与实心和空心配管钢管混凝土柱轴压承载力理论公式与试验结果的对比

计算公式与相关试验结果（共 117 根特殊钢管混凝土柱，其中单层配筋钢管混凝土柱 28 根，实心单层配管钢管混凝土柱 30 根，空心单层配管钢管混凝土柱 59 根）的对比如图 4 所示，二者比值均值为 0.942，方差为 0.008，通过与试验数据的对比说明了公式的合理性。

5.2.2 对于内配非约束型加劲件的钢管混凝土构件(内配纵向钢筋和开口型钢的钢管混凝土构件),只考虑钢管对混凝土的套箍效应,不考虑非约束型加劲件(含方形箍筋)的套箍效应。当计算它们的轴压承载力时,按内填素混凝土的特殊钢管混凝土构件轴压承载力直接叠加非约束型加劲件纵向钢筋及开口型钢提供的轴压承载力计算。

6 承载力设计

6.1 特殊钢管混凝土构件在单一受力状态下承载力与刚度计算

6.1.1 特殊钢管混凝土短柱轴心受压强度承载力设计值按钢管约束素混凝土轴向强度承载力叠加内配非约束加劲件(纵向钢筋和开口型钢)轴向强度承载力设计值。钢管约束素混凝土轴向强度承载力考虑外钢管和内配约束加劲件(内配钢管和螺旋箍筋)对混凝土套箍效应。

6.1.2 特殊钢管混凝土构件轴心受压稳定承载力计算参考了现行国家标准《钢管混凝土结构技术规范》GB 50936 的相关要求。

(1) 对于不锈钢管混凝土构件。

不锈钢的生产工艺是通过轧制成型的,属于《钢结构设计规范》GB 50017 中的 a 类截面,但考虑不锈钢没有明显的屈服点,有明显的非线性,对初始缺陷有影响,仍取其为 b 类截面,取 $K=0.25$。

(2) 对于高强钢管混凝土构件。

对于高强钢管混凝土柱轴压稳定承载力计算,对于相同长度和截面的钢柱,在达到整体稳定极限承载力时,高强度钢材的极限应力与屈服强度的比值要比普通强度的钢材高很多。这主要是因为,随着钢材强度的提高,对钢柱承载力的影响,稳定性比强度作用更加重要,而影响钢柱整体稳定系数的,是残余应力与钢材屈服强度的比值而非残余应力的数值大小自身。对于高强度钢柱而言,残余应力与钢材屈服强度的比值要比普通钢材钢柱小很多,稳定性比普通钢材钢柱高,承载力也比普通钢材钢柱高。因此提高高强钢材钢柱整体稳定系数是高强钢材设计的一个重要目标,对于高强度钢材钢柱，采用比普通钢材钢柱高的整体稳定系数，这样能够提高其整体稳定承载力，更加充分地发挥高强度钢材钢柱的强度优势。随着钢材强度等级的提高，其初始缺陷对稳定性的影响发生变化，考虑到钢材强度提高对轴心受压钢柱整体稳定承载力的有利影响，在计算其整体稳定承载力时，对钢柱的缺陷系数进行折减，采用下式计算：

$$\varepsilon_{sc} = 0.25 \cdot \bar{\lambda}_{sc}(235/f_y)^{0.8} \tag{9}$$

6.1.3 特殊钢管混凝土构件的轴心受拉强度承载力设计值由钢管及钢管内配加劲件共同承担，管内混凝土将开裂，不承受拉力作用。

外钢管和内配约束加劲件受拉力作用而伸长时，径向将收缩；但却受到管内混凝土的阻碍，而成为纵向受拉而环向也受拉的双向拉应力状态，其受拉强度将提高。提高值和所受来自混凝土的阻力大小有关，本条参照现行国家标准《钢管混凝土结构技术规范》GB 50936 的相关规定，轴心受拉强度提高 10%。

内配非约束加劲件，轴心受拉强度不考虑提高。

对格构式塔架，由于水平荷载通过缀材传给外钢管，然后通过内外之间连接传给内配加劲件，导致特殊钢管混凝土构件截面非全截面均匀受拉，需要考虑非全截面均匀受拉修正系数 φ_1，$\varphi_1 = \frac{\sigma_{内部应力}}{\sigma_{外部应力}}$，大小在 0～1 中间，同内外构件间的连接有关，通过试验确定。

6.1.4～6.1.6 特殊钢管混凝土构件的受剪、受扭、受弯承载力设计值，根据叠加原理，由最外层钢管约束管内素混凝土构件的承载力设计值叠加外钢管内配加劲件的承载力设计值，二者都可以根据现行国家标准《钢管混凝土结构技术规范》GB 50936 和《钢结构设计规范》GB 50017 的规定计算得到。

6.2 格构式特殊钢管混凝土构件在单一受力状态下承载力计算

6.2.1、6.2.2 条文根据现行国家标准《钢管混凝土结构技术规范》GB 50936 的规定确定。

6.3 特殊钢管混凝土构件在复杂受力状态下承载力计算

6.3.1 本条规定是根据现行国家标准《钢管混凝土结构技术规范》GB 50936 确定的。其中 $N'_E=\dfrac{N_E}{1.1}$，相当于欧拉临界力 N_E 除以抗力分项系数的平均值 1.1，N_E 值可按下式计算：

$$N_E = \pi^2 E_{sc} A_{sc} / \lambda_{sc}^2 \tag{10}$$

7 防火设计

7.0.1～7.0.6 条文参考了现行国家标准《钢管混凝土结构技术规范》GB 50936 的相关规定。

忽略静载和火灾下的钢管和箍筋的套箍作用，则火灾下的组合强度等于强度折减系数乘上常温下的组合强度，即：

$$f_{sc}^{T}=k_{sc}^{T}f_{sc} \tag{11}$$

$$k_{sc}^{T}=\frac{A_{c}\overline{f}_{c}^{T}+A_{s}f^{T}+A_{b}f_{b}^{T}}{A_{c}f_{c}+A_{s}f+A_{b}f_{b}} \tag{12}$$

式中：f_{sc}^{T}——特殊钢管混凝土构件火灾下截面抗压强度设计值（MPa）。

附录A　特殊钢管混凝土本构关系

A.0.1、A.0.2　A.0.1 中高强混凝土本构关系按 Mansur 等人试验研究推荐的本构方程，该方程由 Carreira 和 Chu 提出。轻质混凝土的本构同普通混凝土，只是其中一些关键点的取值不同。其高温下的弹性模量根据 Schneider(1986)的公式。

A.0.3、A.0.4　资料来源：查晓雄《空心和实心钢管混凝土结构》，科学出版社，2011 年。

对于钢材纤维本构模型，当采用 Menegotto-Pinto 边界面模型时，需要定义的参数有 11 个：屈服强度 f_c；初始弹性模型 E_0；强化比例系数 $b=E_t/E_0$；初始弹塑性转化控制参数 R_0；弹塑性转化控制参数 R 计算公式中的系数 a_1 和 a_2；受压强化系数 A_1，A_2；受拉强化系数 A_3，A_4，初始应力 ε_0，并且要求受拉为正，受压为负。当曲线有压转向为拉时，为历史最大受拉点，当曲线受拉转向为受压时，为历史最大受压点，初始最大受压点和受拉点位对应屈服点。

对于混凝土纤维本构模型，当采用修正的 Kent-Park 模型时，需要定义的参数有 7 个：受压峰值坐标：(ε_0，f_c)，受压压缩处坐标：(ε_u，f_u)，压碎处弹性模拟的损失系数：α。受拉极限：f_t，受拉软化阶段模量：E_t，同时要求受拉为正，受压为负。其中滞回过程规则规定如下：

受拉区：线性回到原点；

受压区：再次加载曲线 3 为过点 R，斜率为 E 的直线，其中，R 为过原点斜率为 E_0 直线和过压碎点斜率为 αE_0 直线的交点。斜率 E 根据包络线上点(σ_c，ε)和 R 点来确定。

卸载曲线 1 为过点(σ_c，ε)斜率为 E_0 的直线，曲线 2 为过曲线

1 和 x 轴交点，斜率为 E/2 的直线。

考虑约束效应的实心，多截面钢管混凝土中的约束混凝土本构参数汇总如下：

$f_{cc}=Kf_c$，$K=1+0.5k_e\xi$，$k_e=f(n)(1-\psi)\geqslant 0$，$f(n)=\dfrac{n^2+2}{n^2+29}$，式中 n 为正多边形的边数，圆形取无穷大；

$\varepsilon_{cc}=K\varepsilon_c$；

$\varepsilon_{cu}=K\varepsilon_{cc}$，$k=5$；

$f_{cu}=\alpha f_{cc}$，$\alpha=\dfrac{kr}{r-1+k^r}$，$r=2\dfrac{f_c}{f_{cc}}$；

$\beta=\dfrac{0.09k\sqrt{k}+\alpha/2}{0.09k\sqrt{k}+1}$；

$f_t=f_c/10$；

$E_t=E_c/10$，$E_c=2f_c/\varepsilon_c$。

附录 C　特殊钢管混凝土构件耐火时间及防火保护厚度

C.0.1～C.0.9　条文参考了现行国家标准《钢管混凝土结构技术规范》GB 50936 相关规定。

在计算组合强度时不考虑各种套箍作用，最终火灾下的承载力折减系数可以表示为：

$$k_{sc}=\frac{N_u^T}{N_u^0}=\frac{\varphi_T N_0^T}{\varphi N_0}=\frac{\varphi_T}{\varphi}\cdot\frac{A_c\overline{f}_c^T+A_s f^T+A_b f_b^T}{A_c f_c+A_s f+A_b f_b} \tag{13}$$

其中，常温和高温下的稳定系数公式中对应的组合强度也不考虑套箍作用。根据上式可知：

当承载力折减系数 k_{sc} 等于荷载比 n_f 时，此时对应的时间即为构件的耐火时间，通过对承载力折减系数的分析发现：

(1)柱高在 1m～5m 范围内，高度对承载力折减系数的影响较小，在此都按 4m 来计算；

(2)其他条件相同时，钢材的强度提高会提高构件的耐火性能，反之，混凝土的强度提高会减低构件的耐火性能；偏于安全，简化计算中取钢管为 Q420，钢筋为 HRB400，混凝土为 C30；配筋率为钢筋的截面面积除以钢筋混凝土的截面面积；配钢率为内钢管的截面面积与混凝土截面面积的比值；

(3)对于配筋钢管混凝土，应考虑外径、外管厚度、配筋率、保护层厚度和荷载比，其对构件的承载力折减影响非常明显；对于配管钢管混凝土，应考虑外径、外管厚度、配钢率、夹芯层混凝土厚度和荷载比对构件的承载力折减影响非常明显。

为了方便设计，基于上面的分析和假定，通过迭代插值得到不同外径、不同外管厚度、配筋率、配钢率、保护层厚度、夹芯层混凝土厚度和荷载比下的构件耐火时间取值表，具体见条文表 C.0.1、表 C.0.4 和表 C.0.7。

CECS 408：2015

中国工程建设协会标准

特殊钢管混凝土构件设计规程

Design specification for specified concrete filled
steel tubular members

中国计划出版社

需本标准可按如下地址索购：
地址：北京百万庄建设部　中国工程建设标准化协会
邮政编码：**100835**　　电话：**(010)88375610**

S/N:1580242·823
9 158024 282306 >
统一书号:1580242·823
定价:58.00元